L'
ITALIANO
VIVO

L' ITALIANO VIVO

John A. Rallo, Ph.D.

National Textbook Company
a division of NTC/CONTEMPORARY PUBLISHING GROUP
Lincolnwood, Illinois USA

ISBN: 0-8442-8105-0

Published by National Textbook Company,
a division of NTC/Contemporary Publishing Group, Inc.,
4255 West Touhy Avenue,
Lincolnwood (Chicago), Illinois 60646-1975 U.S.A.
8 9 0 VP 9 8 7 6 5 4

SOMMARIO

∎ ∎ ∎ ∎ ∎ ∎ ∎ ∎ ∎ ∎ ∎ ∎ ∎ ∎ ∎ ∎

INTRODUCTION

■ ■ ■ ■ ■ ■ ■ ■ ■ ■ ■ ■ ■ ■ ■ ■ ■ ■ ■

L'italiano vivo is designed to encourage oral communication and reading skills in Italian. This book offers a variety of topics dealing with everyday, contemporary situations: sports, movies, music, ecology, customs, etc., which the student can identify with parallel situations in his or her own environment.

Questions based on the text elicit direct responses, drawing on the student's previous knowledge of Italian words and structures, while those requiring original replies oblige him/her to formulate expanded, meaningful structures. An abundance of photos and illustrations act as a stimulus and will motivate students to "go beyond" the image in their search for additional modes of expression. The variety and flexibility of *L'italiano vivo* allow the instructor complete freedom to choose instructional material if and when appropriate, without being bound to progressive, sequential order.

The purpose of *L'italiano vivo*, as expressed in the **Prefazione**, is to provide a set of materials generating conversational situations that will give students self-confidence in expressing their thoughts.

PREFAZIONE

■ ■ ■ ■ ■ ■ ■ ■ ■ ■ ■ ■ ■ ■ ■ ■ ■ ■ ■

Il fine di una lingua parlata è la comunicazione fra una persona e un'altra. Questa comunicazione va per sé basata su principi paralinguistici: accento, ritmo, timbro e intonazione. Oltre a questi principi, la lingua ha una caratteristica tutta propria espressa nel linguaggio dei gesti anzichè parole esplicite—movimenti o atteggiamenti del corpo, in particolare del capo o della mano, del braccio o della spalla—che aiutano a esprimere un pensiero o una volontà, o che sottolineano una particolare azione. Insomma, la personalità di chi parla è palese non solo nel parlare ma anche attraverso la comunicazione cinesica.

L'italiano vivo aderisce alla lingua quotidiana, alla lingua spontanea basata su elementi linguistici indispensabili allo stimolo naturale della conversazione. Ivi si trovano articoli di giornale, rubriche, brani letterari, immagini e foto—modelli idonei all'inventare dialoghi e storie—vignette, temi contemporanei ed altre materie culturali e sociali atte a sviluppare nello studente l'abilità comunicativa. Lo studente già iniziato allo studio dell'italiano nei corsi elementari troverà ne *L'italiano vivo* uno strumento facile e piacevole che gli fornirà lo stimolo psicologico e una fonte di parole e locuzioni svariate necessarie a renderlo sicuro di sé in presenza di altri durante la conversazione.

il telefono sulla tua strada

La carta telefonica* è il nuovo mezzo di pagamento destinato a prendere il posto del gettone, che ha fatto ormai il suo tempo. Essa consente di effettuare telefonate per il tempo desiderato, è comoda da usare e di minimo ingombro. La si può trovare presso i punti pubblici SIP, i distributori automatici di carte telefoniche SIP e negli esercizi commerciali segnalati.

Gli apparecchi con lettori di carte telefoniche, situati prevalentemente nei punti di maggior traffico telefonico, stazioni, aeroporti, centri urbani, località turistiche, sono 20 mila e a fine anno saranno il doppio. Grazie anche ai moderni mezzi di pagamento, il Telefono Pubblico è sempre di più sulla tua strada.

*Le carte non utilizzate, in tutto o in parte, entro il termine di validità vengono rimborsate dalla SIP per l'importo residuo corrispondente.

 **SIP**

Rispondi alle domande in frasi complete.

1. Che valore ha la carta telefonica qui fotografata?

2. Su quale binario si trova il marinaio?

3. Che sta facendo il marinaio?

4. In quale mano tiene il ricevitore del telefono?

5. Che ore segna l'orologio?

6. Dove si trova il cestino per le immondizie?

7. Di che colore è la divisa del marinaio?

8. Si trova a destra o a sinistra dell'orologio l'insegna del binario?

9. Si vede qualche pianta sulla foto? Dove?

10. Descrivi il marinaio.

11. Qual è il nuovo mezzo di pagamento per telefonare?

12. Di che cosa prenderà il posto?

13. Secondo l'articolo, è ancora molto di moda il gettone?

14. Quali sono i *tre* vantaggi della carta telefonica?

15. Dove si può trovare o comprare questa carta telefonica?

16. Dove si trovano gli apparecchi con lettori di carte telefoniche?

17. Quanti apparecchi ci saranno a fine anno?

18. Esistono carte telefoniche di questo genere nel tuo paese?

    Come si può telefonare nella tua città: moneta, gettoni, a pagamento del destinatario, carta di credito, ecc.?

19. Da chi vengono rimborsate le carte non utilizzate?

20. Immagina di trovarti al posto del marinaio. Inventa una conversazione con un amico o un'amica: dove ti trovi, quando sei arrivato/a, se hai fatto buon viaggio, quando tempo ti fermerai, cosa ti piacerebbe fare o vedere insieme all'amico o all'amica, ecc.

PAROLA E GESTI

■ ■ ■ ■ ■ ■ ■ ■ ■ ■ ■ ■ ■ ■ ■ ■ ■

Quando si parla di «linguaggio» di solito si pensa all'uso della lingua nel parlare. Ma, dobbiamo tenere in mente che «linguaggio» è anche ciò che serve per esprimere i concetti con dei segni, cioè, la comunicazione cinesica.

IL LINGUAGGIO DISCRETO DEI GESTI

Le «posizioni» assunte dalle mani rivelano la personalità e facilitano il compito del chiromante

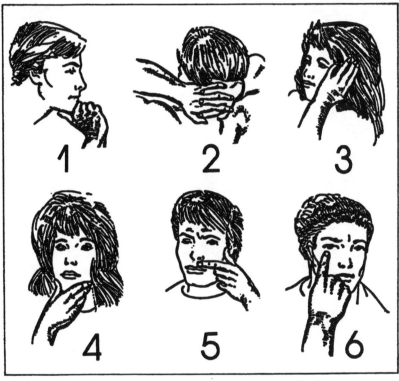

1 - Il pollice è posto a sostegno del mento e le altre dita sono ripiegate. La posizione rivela insoddisfazione, atteggiamento critico verso gli altri.

2 - Le dita incrociate sorreggono la nuca. L'atteggiamento è rivelatore di soddisfazione e significa controllo della situazione.

3 - La mano «sostiene» il capo durante una conversazione. L'atteggiamento indica interesse per gli argomenti trattati.

4 - Pollice e indice «racchiudono», sostenendolo, il mento. Una simile posizione delle mani indica riflessione e precede una decisione.

5 - L'indice posto fra la radice del naso e il labbro significa diffidenza nei confronti dell'interlocutore.

6 - L'indice poggiato sullo zigomo tradisce nervosismo e significa richiesta di attenzione.

(Dal trattato Espressione e gestualità di Roberto Timelli, Editiemme)

Leggi l'articolo pubblicato sulla rivista «Oggi», poi rispondi alle domande.

1. Quali parti del corpo umano sono menzionate nell'articolo?

2. Qual è il significato della parola *chiromante*?

3. Cosa rivelano le posizioni assunte dalle mani?

4. Cosa rivela la posizione assunta in ciascun disegno?

5. Fai uso dei gesti quando parli italiano? Inglese?

Osservate con molta attenzione queste due vignette e individuate almeno dieci particolari differenti.

Parole Utili

leggio   arnese di legno sul quale si posa il libro
sgabello panchetta senza spalliera per sedersi
frac   abito nero da uomo messo per le cerimonie
cavo   tubo di fili

LE DIFFERENZE

1 capelli spettatrice a sinistra; 2 ruota gamba posteriore piano; 3 testina grammofono; 4 leggio; 5 microfono; 6 nota a destra; 7 sgabello; 8 frac; 9 parte terminale braccio giraffa; 10 cavo a terra.

NATURA

SPORT

FANTASIA

MANUALISTICA

CINEMA

EDUCAZIONALE

ARTE

M.VENTURA

MUSICA

Con Vivivideo scopri che la vita non è solo un film.

Il vostro videoregistratore sta per entrare nell'età della cultura.

Da oggi potete soddisfare le sue passioni artistiche e coltivare i suoi hobby preferiti.

Dovete solo sedervi in poltrona, scegliere una cassetta Vivivideo e viaggiare col telecomando e con la fantasia.

Potete scegliere tra i tanti titoli del cinema, con capolavori di ogni genere e generi di tutti i colori: dal giallo al rosa,

dalla commedia all'horror. Ma potete anche avventurarvi nel mondo della cultura, della scienza, dello spettacolo.

A vostra disposizione, nuove straordinarie serie di videocassette dedicate all'arte, alla natura, allo sport, al fai-da-te, alla didattica e al mondo del fantasy. Non è solo un volo della fantasia, è la realtà di Vivivideo.

Se fosse una favola potremmo chiamarla la scelta infinita.

VIVIVIDEO
CINEMA, CULTURA, SPETTACOLO.

Parole utili

capolavoro	lavoro eccellente nel suo genere
didattica	scienza dell'insegnamento
disposizione	ciò che è messo al vostro servizio
età	anni della vita
fai-da-te	fare da solo seguendo le indicazioni
favola	breve narrazione di fatto immaginato i cui attori sono degli animali
fosse	imperfetto del congiuntivo del verbo *essere*
genere	tipo
giallo	storia di agenti di polizia, «detective»
manualistica	lavoro manuale
potremmo	condizionale del verbo *potere*
scegliere	eleggere, preferire tra più
scelta	elezione, preferenza
stare per	essere sul punto di + l'infinito del verbo
scoprire*	conoscere cosa non saputa, informarsi
volo	altezza di fantasia; sollevamento del pensiero

---

*Proverbi: Chi scopre il segreto, perde la fede.
Uno scopre la lepre, e un altro la piglia.

Rispondi alle domande.

1. Che cosa sta per entrare nell'età della cultura?

2. Dove dovete sedervi?

3. Dove potete anche avventurarvi?

4. Che cosa c'è a vostra disposizione?

5. Se fosse una favola, come potremmo chiamarla?

6. Quali pensieri o idee ti saltano in mente guardando le immagini su questa pagina pubblicitaria? (Mitologia, teatro, gite in montagna, spettacoli al teatro, ecc.)

7. Spiega il significato del primo proverbio.

8. Spiega il significato del secondo proverbio.

RECENSIONI: FILM D'ALTRI TEMPI

■ Donne sull'orlo di una crisi di nervi

di Pedro Almodovar; con Carmen Maura, Fernando Guillen, Antonio Banderas, Maria Barranco; 1988

Enfant terrible del cinema spagnolo, per una volta Almodovar lascia da parte le abituali trasgressioni sessuali e le blasfeme dissacrazioni e firma una spassosissima commedia. La vicenda, di impianto quasi teatrale, si svolge soprattutto a casa di Pepa, vulcanica doppiatrice, piantata in asso dal suo uomo, Ivan. Ma quest'ultimo, anch'egli doppiatore, anziché spiegarsi a voce, ha avuto il cattivo gusto di annunciare la sua irrevocabile decisione lasciando un messaggio alla segreteria telefonica di Pepa. La donna si mette sulle tracce del fuggiasco, mentre, per i motivi più vari, nella sua casa arrivano la moglie e il figlio di Ivan, con fidanzata, amiche svampite e poliziotti da fumetto.

▼ Turista per caso
(The Accidental Tourist)

di Lawrence Kasdan; con William Hurt, Geena Davis, Kathleen Turner; 1989

Autore di guide turistiche per uomini d'affari che in viaggio vogliono mettersi al riparo da ogni imprevisto, Macon è un uomo triste e grigio, immalinconito dalla drammatica morte del figlio e ormai incapace di qualsiasi sentimento. Perfino quando la moglie Sarah gli comunica la decisione di abbandonarlo, Macon non reagisce. A riportarlo alla vita è Muriel, istruttrice per cani, ragazza madre e incorreggibile ottimista, che lo strappa alla sua apatia e alla stranissima famiglia d'origine nel cui seno Macon è tornato a vivere. Ma quando Sarah riappare, Macon prova a riattaccare i cocci del suo matrimonio: non funzionerà più e questa volta sarà l'uomo a prendere finalmente una decisione...

■ Splendor

di Ettore Scola; con Marcello Mastroianni; Massimo Troisi, Marina Vlady, Paolo Panelli, 1989

La storia di una sala cinematografica, come ce ne erano tante, in un non meglio identificato paesino della provincia laziale. Dopo tanti inutili tentativi di salvataggio, si chiude: il locale è stato acquistato da un industrialotto deciso a realizzarvi un supermarket e mentre si smontano sedie e schermo, il gestore, Jordan, con la fedele maschera Chantal e il proiezionista Luigi, ricorda il glorioso passato. È una cavalcata di oltre mezzo secolo dagli anni Venti, quando Jordan bambino accompagnava il padre con il suo cinema ambulante, ai giorni nostri. Fatti privati e pubbliche vicende del cinema si fondono insieme per darci il sapore di un' epoca.

■ Un pesce di nome Wanda
(A fish called Wanda)

di Charles Crichton; con John Cleese, Jamie Lee Curtis, Kevin Kline, Michael Palin; 1989

Uno strano quartetto di ladri mette a segno un formidabile colpo. Ma accade che George il cervello della banda, che ha nascosto la refurtiva, finisca subito in prigione. Ed allora, per tornare in possesso dei gioielli rubati, Wanda l'unica ragazza del gruppo decide di conquistare e circuire l'avvocato Leach, dalla cui faconda eloquenza dipende la libertà di George. Ma Otto, un altro della banda, sospetta e teme il peggio, con la conseguenza di complicare enormemente le cose. Secondo le regole del black humor britannico, una scatenata e divertentissima commedia, ricca di sorprese, doppigiochi, tradimenti, dove anche gli animali, una serie di cani e il pesce del titolo, diventano determinanti per la soluzione finale.

■ New York Stories

di Martin Scorsese, Francis Coppola, Woody Allen; con Woody Allen, Mia Farrow, Nick Nolte, Rosanna Arquette, Giancarlo Giannini; 1989

Il film che ha aperto, fuori concorso, Cannes '89. Un affresco su New York visto attraverso tre storie, firmate da altrettanti prestigiosi registi. Scorsese racconta le vicende di un grande pittore, più preoccupato, tuttavia, a rincorrere la sua ragazza che a dipingere. Coppola ambienta la sua storia nel mondo dei super ricchi, raccontando, attraverso i casi di una ragazzina, come i soldi non facciano la felicità. Allen, infine, torna alla comicità scatenata dei suoi esordi, incarnando il ruolo di un avvocato di successo ossessionato dalla mamma.

★ Rain Man

di Barry Levinson; con Dustin Hoffman, Tom Cruise, Valeria Golino; 1989

Alla morte del padre, Charlie, giovane, bello e rampante, ha la sgradita sorpresa di apprendere che l'eredità di famiglia, un cospicuo patrimonio, è stata interamente assegnata ad un fratello maggiore, malato di autismo, che da anni vive in una clinica e di cui Charlie aveva perfino perso la memoria. Desideroso di impossessarsi dei soldi, Charlie va a trovare il fratello e praticamente lo rapisce, scorrazzandolo lungo le strade d'America. Ma durante il viaggio i propositi pirateschi di Charlie svaniscono ed egli prova nei confronti del fratello un autentico sentimento d'amore.

Laurence Olivier e Marilyn Monroe nel «Principe e la Ballerina» (1957)

Gente del Nord
(Winter People)

di Ted Kotcheff; con Kurt Russel, Kelly McGillis, Lloyd Bridges, Lanny Flaherty; 1989

Capuleti e Montecchi nell'America del 1934: i Wright e i Campbell si odiano e si uccidono. In questo mondo caratterizzato dalla violenza, capita un tranquillo orologiaio di origine polacca che si innamora, ricambiato, di Collie Wright, bionda orgogliosa e solitaria, che vive in una baracca con un figlio di cui si ignora il padre. Il genitore, in realtà, è Cole Campbell, deciso ora a far valere i suoi diritti sul bambino e a vendicarsi dell'intruso. Accade, invece, che Cole muoia e la cosa scatena l'ira dei familiari...

Spettacoli

RITORNO DELLA VECCHIA HOLLYWOOD IN ITALIA GIORNATA TELEVISIVA

ITALIA 7
20: Gli eroi di Hogan: «C'è un medico fra noi?», *telefilm*.
20,30: Il figlio di Zorro, *film di avventure*.

RAITRE
20,30: Orizzonti lontani: Africa: «Un'oasi nel deserto».
21,30: Vento di passioni, *film drammatico* con Esther Williams (*1958*).

i film □ *"La donna di platino"* e *"La follia della metropoli" di Frank Capra su RaiUno. Poi, "Park Row", "Sapore di miele", "Piano...piano, dolce Carlotta"*

Jean Harlow, la bomba bionda

E', tanto per cambiare, il cinema americano a tenere banco nella giornata televisiva odierna, con alcuni titoli in stile vecchia Hollywood davvero gustosi. Da non perdere il pomeriggio di RaiUno dedicato all'amabile Frank Capra: **La donna di platino** (alle 14.10) è ormai passato agli annali del cinema come il film che lanciò, nel 1931, la leggendaria "bomba del sesso" Jean Harlow, archetipo della "femme fatale" col sole nei capelli che qui seduce il giornalista Robert Williams, in concorrenza con la più sdolcinata Loretta Young; **La follia della metropoli** (alle 17.55) è una tipica commedia in perfetto "stile Capra", fatta di esaltazione dell'*american way of life* e buoni sentimenti.

Ancora film per il pomeriggio. Anzitutto, **Park Row** (RaiTre, ore 15.10), vicenda poliziesca firmata dal maestro Samuel Fuller, con il suo stile secco e personale. Quindi, **Sapore di miele** (RaiTre, ore 17.05) di Tony Richardson, titolo inserito nel quadro della breve rassegna che la rete pubblica sta dedicando alla felice stagione del "free cinema" britannico: denuncia sociale e ricerca artistica a braccetto in una vicenda che tratta di razzismo e omosessualità, con una bravissima Rita Tushingham. Si torna al cinema americano con **Stringimi forte tra le tue braccia** (Telemontecarlo, ore

16) di Michael Curtiz, storia di guerra, codardia, amore e ardimento, con l'impagabile William Holden.

Veniamo alla serata, che non appare così ricca di stimoli e suggestioni cinematografiche. Partiamo dal finto ma divertente esotismo di **Le mille e una notte** (RaiTre, ore 20.30) di John Rawlins, con la bella Maria Montez, alias Shéhérazade. Da non mancare, invece, l'appuntamento con **Piano . . . piano, dolce Carlotta** (Retequattro, ore 22.40) di Robert Aldrich, storia di cattiverie domestiche, ricchissima di suspense, nella quale si confronta il trio formato da Bette Davis, Joseph Cotten e Olivia de Havilland. Retequattro lo fa precedere (alle 20.30) dall'avventuroso **L'Inferno sommerso** di Irwin Allen, con Michael Caine e Telly Savalas coinvolti nel recupero del carico contenuto in un transatlantico colato a picco.

Un'ultima segnalazione per la cara Katharine Hepburn che troviamo in **Sottana di ferro** (Telemontecarlo, ore 20.30) di Ralph Thomas, nei panni nientemeno che di un ufficiale sovietico che naturalmente fa di tutto per passare dalla parte degli americani.

IL CINEMA ITALIANO E' MERAVIGLIOSO!

ECCO 4 GIOIELLI PER DIMOSTRARVELO

VINCITORE DEL FESTIVAL DI MOSCA

anche i Russi si sono divertiti con

Ladri di Saponette
UN FILM DI MAURIZIO NICHETTI

Ladri di Saponette
UN FILM DI MAURIZIO NICHETTI

MIGNON

NON BASTANO TUTTI I CAMMELLI DEL DESERTO PER COMPRARTI UN AMICO.
(PROVERBIO ARABO)

MARIO & VITTORIO CECCHI GORI
GIANNI MINERVINI PRESENTANO
Marrakech Express
DIEGO ABATANTUONO · FABRIZIO BENTIVOGLIO · CRISTINA MARSILLACH
GIUSEPPE CEDERNA · GIGIO ALBERTI · MASSIMO VENTURIELLO
GABRIELE SALVATORES · GIANNI MINERVINI · A.M.A. FILM
COLORE TELECOLOR

ODEON

CRITICA: ★★★★★
PUBBLICO: ●●●●●

CLAUDIO BONIVENTO presenta   un film diretto da MARCO RISI
MICHELE PLACIDO in
MERY per sempre
CLAUDIO AMENDOLA

ODEON

GRAN PREMIO SPECIALE DELLA GIURIA FESTIVAL DI CANNES

FRANCO CRISTALDI presenta   un film di GIUSEPPE TORNATORE

NUOVO CINEMA PARADISO
Titanus DISTRIBUZIONE

 Nuovo Cinema Paradiso
di Giuseppe Tornatore; con Marco Leonardi, Salvatore Cascio, Jacques Perrin, Philippe Noiret, Agnese Nano, Enzo Cannavale; 1988

Un grande atto di amore al cinema, una specie di storia d'Italia raccontata attraverso i film. Il protagonista è un regista di successo, Salvatore, detto Totò, che a Roma viene raggiunto dalla notizia della morte di Alfredo, vecchio operatore del cinemino del paese dove egli ha vissuto bambino e ragazzo. La notizia fa esplodere una serie di ricordi lontani e Totò rievoca i lunghi pomeriggi trascorsi da bambino al cinema, il suo incontro con Elena, la sua vocazione registica. Spinto dall'emozione, dopo trent'anni, Totò torna al suo paese per i funerali di Alfredo e i fantasmi del passato si materializzano.

9

IL CINEMA: FANTASIA E REALTÀ; EVASIONE DALLA VITA QUOTIDIANA

■ ■ ■ ■ ■ ■ ■ ■ ■ ■ ■ ■ ■ ■ ■ ■ ■ ■ ■

Il cinema gioca un ruolo importantissimo nella vita culturale di ogni paese. Gli Italiani sono dei tifosi di film, specialmente di film americani. Per più di una generazione attori, attrici e registi italiani godono di fama mondiale. Nomi come Anna Magnani, Gina Lol-lobrigida, Sophia Loren, Silvana Mangano, Claudia Cardinale, Mariangela Melato; Marcello Mastroianni, Giancarlo Giannini, Ugo Tognazzi; Zeffirelli, Visconti, De Sica, Antonioni, Bertolucci, Fellini ed altri sono ammirati dappertutto.

Rispondi alle domande.

1. Per quali ragioni vai al cinema?

2. Ti piace andare al cinema da solo o in compagnia di amici o amiche? Perché?

3. Che genere di film preferisci vedere? Perché?

4. Ci sono molti cineasti fra i tuoi amici?

5. Quali attori/attrici preferisci fra i divi/le dive qui sopra elencati?

6. Quale divo americano preferisci? In quale film l'hai visto?

7. Quale diva americana preferisci? In quale film l'hai vista?

8. Ti piacciono i film italiani o i film americani? Perché?

9. Preferisci andare al cine a vedere i film o ti piace vederli alla televisione? Perché?

10. Sulla pagina «Spettacoli» ci sono parecchie recensioni di film americani d'altri tempi. Leggine una e poi raccontala in poche parole.

11. Hai visto uno o più film americani recensiti su questa pagina? Quali? Ti sono piaciuti o no? Perché?

12. Descrivi l'inquadratura da «Principe e Ballerina».

13. Nel «Ritorno della vecchia Hollywood in Italia», quale film lanciò «la bomba del sesso»? In quale anno?

14. Chi fu l'archetipo della «donna fatale»?

15. Che genere di film è «Park Row»?

16. Come si può descrivere il film «Piano–Piano, dolce Carlotta»?

17. Chi è il regista di «Ladri di Saponette»? È questo film uno dei gioielli del cinema italiano secondo la pubblicità?

18. Leggi la recensione del film «Nuovo Cinema Paradiso», poi rispondi alle seguenti domande:

    a. Che cosa si racconta attraverso il film?

    b. Chi è il protagonista del film?

    c. Quale notizia riceve «Totò» a Roma?

    d. Quali ricordi fa esplodere questa notizia?

    e. Come finisce il film?

Parole utili

La classifica dei film:

****	eccellente
***	ottimo
**	buono
*	mediocre
VM	vietato ai minori
A	avventuroso
B	brillante (commedia)
D	drammatico
DA	disegni animati
Doc	documentario
F	fantascienza
M	musicale
N	novità
Pl	poliziesco
S	sentimentale
Sp	spionaggio
St	storico
VO	versione originale
W	western

orario spettacoli
apertura ore . . .
ultime ore . . .
per tutti
prima visione
giallo
in esclusiva
all'aperto
aria condizionata (refrigerata)

regista
trama
argomento
capolavoro
schermo
cartoni animati
primo tempo

A CHE ABITO SOMIGLI?

Ogni settimana «sonderemo» l'atteggiamento che avete nei confronti di qualcosa o di qualcuno: partiamo dal vostro corpo. Dite, senza pensarci troppo, in quale di questi indumenti vi sentite meglio, quale cioè esprime di più il vostro stato d'animo

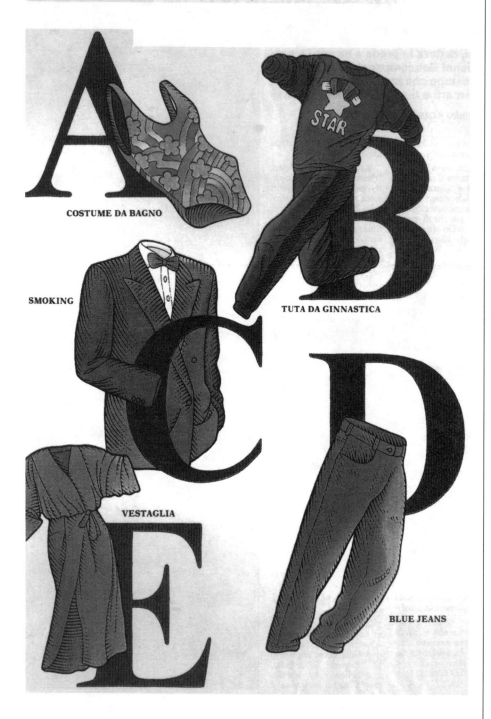

COSTUME DA BAGNO

SMOKING

TUTA DA GINNASTICA

VESTAGLIA

BLUE JEANS

Se hai scelto A sei
SOGNATORE

Dietro questa scelta, la prima dell'estate, si nasconde un desiderio di libertà, di evasione, di vacanze appunto, come in un sogno a lungo tenuto dentro. Siete stanchi, sì, ma non stressati ed esauriti: avete molte energie e molte frecce al vostro arco, finalmente da mettere al servizio di ciò che vi piace.

Se hai scelto B sei
PENTITO

La vostra forma fisica non vi convince troppo, vero? Vi siete guardati allo specchio e temete qualche impietoso confronto da spiaggia. Ma la volontà di rifarsi, di rimettersi in forma, di recuperare la linea perduta, per fortuna è forte. Pronti? Via!

Se hai scelto C sei
FRENATO

Quella routine un po' piatta che siete costretti a vivere contrasta con la vostra natura gaudente, e vi tiene a freno durante l'anno. Le vacanze per voi sono dunque un momento importante per sperimentare quella mondanità negata, magari un po' cinematografica, che vi affascina tanto.

Se hai scelto D sei
SEMPLICE

Semplicità, libertà, spazio: sono le tre parole d'ordine che la routine spesso vi impedisce di gridare ai quattro venti. I vostri canoni di vita, normalmente in evidenza solo nei week-end, adesso possono misurarsi con le cose che più vi piacciono.

Se hai scelto E sei
STRESSATO

Decisamente stanchi e stressati, anelate soprattutto a un periodo di riposo, indipendentemente dal luogo dove vi trovate, fosse anche casa vostra. Forse alla stanchezza fisica si stanno assommando problemi di insoddisfazione generale. Non dormite e basta: pensateci su.

A cura della dottoressa Dania Cappellin

Dice il proverbio: L'abito non fa il monaco. Nel sondaggio della rivista «Oggi», si parla del corpo umano e degli indumenti preferiti che, a seconda le varie personalità, esprimono lo stato d'animo: sognatore, pentito, frenato, semplice, stressato.

Rispondi alle domande.

1. Quale lettera hai scelto per rappresentarti? A, B, C o D?

2. Sei d'accordo con ciò che dice la dottoressa Cappellin?

3. Perché non hai scelto un altro «stato d'animo»?

4. Ti piace vivere una vita piatta, di «routine»?

5. Quali sono le tre parole d'ordine che la routine spesso impedisce di gridare al vento?

6. Che cosa si possono misurare con le cose che più piacciono?

7. Cosa bramano gli stressati?

8. Soffri tu di insoddisfazione generale? Perché?

9. Che rimedio provi per allievare la tua stanchezza?

10. Sei un sognatore o un realista? Spiega.

11. Cosa nasconde il sognatore?

12. Sono stressati i sognatori? Spiega.

13. Che cosa non manca ai sognatori?

14. Perché la forma fisica vista nello specchio non convince troppo i pentiti?

15. Ti penti facilmente dei tuoi atti? Spiega.

16. Cosa occorre rifare al pentito?

17. Ti piace portare i blue jeans? Perché?

18. In che tipo di indumento ti senti meglio, cioè a tuo agio?

19. Che altri indumenti si possono portare?

20. Quali indumenti si portano: a un pranzo festivo? allo stadio? alla spiaggia? al lavoro? in casa? quando si va fuori con il fidanzato/la fidanzata? quando si viaggia all'estero? al letto?

Dalla Sicilia alla Val d'Aosta
autostrade intasate da
un'interminabile fila di
automobili

Vacanze, l'ingorgo più lungo

Tutti a passo d'uomo, code fino a 25 chilometri

L'incolonnamento sull'Autosole tra Frosinone e Napoli

Dall'alto la città deserta

Piazza Venezia semideserta ieri a mezzogiorno   Foto di RINO BARILLARI

Guardando Roma dal piccolo finestrino dell' Observer, l'aeroplanino della polizia impiegato prevalentemente per la ricognizione stradale. Dalle undici a poco dopo mezzogiorno, per raccontare dall'alto la città e i suoi dintorni.

Un racconto frettoloso, quel che resta di una passeggiata in cielo a circa duecento chilometri all'ora ed a circa centocinquanta metri dalla terra. Ma non si può andare più piano? «Se andiamo più piano, facciamo un tuffo di testa... andiamo giù», spiega senza voltarsi il pilota, l'agente Gaetano Patino, mentre il suo secondo, Antonio Gentile, si fa una risata.

Una città bellissima al centro e bruttissima in periferia, tramortita dal caldo, spopolata e ferma. Appariva così, ieri mattina, Roma.

Traffico metropolitano rado e rilassato, quasi una cartolina anni Cinquanta. Gente in giro, poca: soltanto a San Pietro si scorgeva un pugno di eroi.

Anche sulla costa, offesa dal volgare abusivismo del mattone selvaggio (dal cielo, lo scempio è impressionante), la mattinata di fine luglio non offriva granché: sulle spiagge erano assenti le masse. Da Ladispoli a Fiumicino, il colore del mare appariva più o meno sempre uguale: verde sporco.

A Ostia, il braciere nella pineta ancora non era spento. E al centro del pezzo di terra nera e bruciata vivevano ancora sottili lingue di fumo bianco.

A mezzogiorno l'Observer atterrava sulla pista dell'aeroporto dell'Urbe.

Più giovani sotto il sole

Troppa tintarella fa invecchiare la pelle? E' vero, dicono i ricercatori. Ma non occorre rassegnarsi a vacanze «ombrose». Bastano poche precauzioni per mantenersi freschi e in salute all'aria aperta

Q ualche.incallito amante della tintarella «ad ogni costo» quest'anno si lamenta che il sole brucia più degli anni passati. E' certo che il sole con il tempo si fa sentire. Ma così come invecchia la pelle può essere «ringiovanita» e non sempre la tintarella deve essere presa scottandosi. Ecco quali precauzioni

illustrazione di NADIA PAZZAGLIA

Riviera

Benvenuto Sole

Mare blu e tanto sole

E' davvero estate! Finalmente. Il tempo su tutta la regione è al bello stabile: un sole cocente rallegra chi - ma non sono molti, ancora - rifa la sua comparsa sulle spiagge attratto da un mare tornato ad essere pulito dalla invasione della mucillagine. La giornata di ieri è stata calda, rinfrescata da una leggera brezza che ha soffiato leggermente dal mare verso l'interno. Le previsioni per oggi dicono che questa situazione atmosferica continuerà. L'alta pressione assicura condizioni così anche per qualche giorno. Le previsioni elaborate dall'ufficio metereologico dell'Aeronautica mili-

tare parlano ancora di temperatura mite e cielo sereno: condizioni ideali per chi sta in vacanza.

La stabilità - secondo l'ufficio metereologico dell'Aeronautica militare - è garantita dall'alta pressione ormai stabilizzata al largo del Mar Adriatico.

Sulle strade si fa attenuando notevolmente l'onda del grande esodo di agosto con traffico che torna ai livelli di normalità. Adesso a muoversi sono soprattutto i residenti.

VACANZE:

CITTÀ DESERTE, INGORGO STRADALE, MARE BLU E TANTO SOLE, SPIAGGE AFFOLLATE
DI GENTE, PASSEGGIATE DI SERA, L'ONDA DEL GRANDE ESODO DI AGOSTO ... E POI IL
RIENTRO E I RICORDI CONDIVISI CON GLI AMICI.

Rispondi alle seguenti domande.

1. Ti piace andare in vacanza? Quale luogo preferisci: il mare, la montagna, o i musei delle grandi città?

2. In quale stagione preferisci andare in vacanza? Spiega.

3. Di solito, quando vai in vacanza, preferisci viaggiare in aereo, in treno, o in macchina? Per quali ragioni?

4. Preferisci passare le tue vacanze in luoghi più o meno isolati o poco frequentati, o preferisci andare dove c'è molta gente?

5. Secondo l'articolo di giornale «Dall'alto della città», a quale scopo si impiega l'aeroplanino della polizia?

6. Perché vola ad alta velocità l'aeroplanino?

7. Che vista offre la costa dall'alto cielo?

8. La Riviera italiana offre giornate soleggiate. Ma il sole può cagionare danni alla pelle. L'articolo «Più giovani sotto il sole» offre delle precauzioni per non scottarsi la pelle; sfortunatamente le parole di ammonimento si sono nascoste dietro ai capelli a ombrello della bagnante. Fornisci tu delle precauzioni da prendere per non fare invecchiare la pelle.

9. La pubblicità fa del tutto per attirare la nostra attenzione sui prodotti da offrire ai consumatori. Guarda l'annuncio pubblicitario della crema doposole «Nivea» e immagina l'effetto che potrebbe produrre sul consumatore.

10. Il titolo «Mare blu e tanto sole» suggerisce che si è finalmente in piena estate.
    a. Quali sono i vantaggi di questa stagione?
    b. Chi è attratto da un mare tornato ad essere pulito?
    c. Che cosa ha rinfrescato la giornata di ieri?
    d. Quali condizioni ideali prevede l'ufficio metereologico?
    e. Riassumi a modo tuo il messaggio di questo annuncio pubblicitario.

IN VACANZA CON LO ZAINO ADDOSSO

■ ■ ■ ■ ■ ■ ■ ■ ■ ■ ■ ■ ■ ■ ■ ■ ■ ■

CASA, EMPORIO, FARMACIA: NELLO ZAINO C'E' POSTO PER TUTTO

Un piccolo mondo sulle spalle

Quale tipo di zaino scegliere, e cosa metterci dentro per un viaggio che non preveda mete esotiche o che costringa ad affrontare particolari difficoltà ambientali, è un problema importante da risolvere. Tramontati gli zaini militari, si può scegliere fra i sacchi da montagna con schienale metallico o «anatomico», e quelli forniti di un basto in metallo leggero che però ha il grande svantaggio d'impigliarsi dappertutto. Se c'è la possibilità di dormire all'aperto o sotto una tenda «canadese», è meglio portare un sacco a pelo (il tipo dipende dalla latitudine del Pae-se visitato) e un materassino gonfiabile. Non si deve poi dimenticare il fornellino a gas.

Chi è sicuro d'alloggiare negli ostelli, nei conventi, nelle piccole pensioni può risparmiarsi il peso di quanto sopra elencato, ma non può certo scordare i ricambi di biancheria, un golf, un paio di scarpe di scorta (che siano sempre comode e mai nuove!), calze, fazzoletti, un cappello, un impermeabile e magari un ombrello pieghevole.

Nello zaino bisogna infilare anche quelle piccole cose che possono rivelarsi risolutive in molte circostanze. Vi suggeriamo il coltello multiuso, una bor-raccia, un set per i pasti, carta igienica o un rotolo di «Scottex», sacchetti di plastica in varie misure, aghi, spolette di cotone di vari colori, un ditale, spille di sicurezza (demandate l'incombenza a vostra madre...), un set per l'igiene personale, taccuino e matita (le penne a sfera subiscono gli effetti del caldo e del freddo), un portadocumenti impermeabile, un'agenda con indirizzi utili in Italia e all'estero, un piccolo kit di pronto soccorso che il vostro medico vi aiuterà a comporre, occhiali da sole, mappe, guide e dizionari tascabili. Il denaro è meglio nasconderlo in apposite cinture e distri-buirlo in più posti.

Non dimentichiamo infine le emergenze. Jacek Palkiewicz, un polacco di 47 anni, giornalista ed esploratore che ha fondato in Trentino una scuola di sopravvivenza, consiglia: «Portate con voi dei fiammiferi antivento, una coperta tascabile d'alluminio, una cordicella di alcuni metri, un filo d'acciaio, una pila elettrica e una candela. Per l'abbigliamento gli indumenti militari sono ottimi perché pratici e robusti, ma questo non significa travestirsi da parà. Si cadrebbe per lo meno nel ridicolo».

Giuseppe Ramazzotti

Rispondi alle domande.

1. Spiega il titolo di questo articolo.

2. Secondo l'autore, quale sarebbe un problema importante nel fare un viaggio?

3. Che tipo di zaino preferisci? Perché?

4. Che cosa sarebbe meglio portare quando si vuole dormire all'aperto?

5. Per risparmiare il peso di un sacco a pelo ecc., dove si dovrebbe alloggiare?

6. Cosa non si deve dimenticare di mettere nello zaino quando si alloggia negli ostelli o nei conventi?

7. Quali articoli suggerisce l'autore di infilare nello zaino che potrebbero rivelarsi necessari in molte circostanze?

8. A che serve un kit di pronto soccorso?

9. Dove si dovrebbe nascondere il denaro?

10. Infine, cosa consiglia di portare il giornalista polacco?

I SOPRAVVISSUTI

Carbone di legna	10 retine per farfalle	Una macchina da scrivere portatile	Una scialuppa di salvataggio
2 KG di sale	Una piccozza	Una bussola modello a lente	Un sacco a pelo
Un set di cannucce	Un telo di nailon (2 metri per 2)	Due lucidi per scarpe nero e marrone	20 confezioni da 1 di omogeneizzati
Ago, filo e spille da balia	Apparecchio radio a batterie	Una scatola di detersivo	50 elastici
Magliette di cotone	10 pacchi di spaghetti	Una torcia elettrica	Un poncho tipo messicano

COME SI GIOCA

AMMETTETELO: anche quest'anno avete sognato di passare un'estate diversa, spersi in qualche atollo polinesiano tra cannibali e pesci predatori. Ed invece vi trovate fortunatamente a gustarvi un meritato riposo sui ben più confortevoli bagnasciuga dei mari nostrani. Ma siccome il sogno rimane, vi vogliamo offrire l'occasione per provare a voi stessi e agli altri che sapreste cavarvela anche in situazioni estreme.

Immaginate di trovarvi su un'isola deserta dopo un naufragio e di attendere lì l'arrivo dei soccorsi. Dal naufragio avete potuto salvare soltanto un certo numero di oggetti, venti per l'esattezza.

Incolonnate i venti oggetti. Scrivete nella colonna i nomi degli oggetti riportati qui sopra, indicando i 6 indispensabili (per ogni oggetto indovinato si guadagnano 3 punti), i 6 utili (ogni oggetto indovinato vale 2 punti), i 6 inutili (ogni oggetto indovinato 1 punto), l'oggetto fondamentale e quello più inutile (che valgono, se indovinati, rispettivamente 10 punti).

I sopravvissuti

OGGETTI INDISPENSABILI	PUNTI	OGGETTI INUTILI	
OGGETTI UTILI		**IL FONDAMENTALE**	
		IL PIÙ INUTILE	
		TOTALE	
La soluzione			

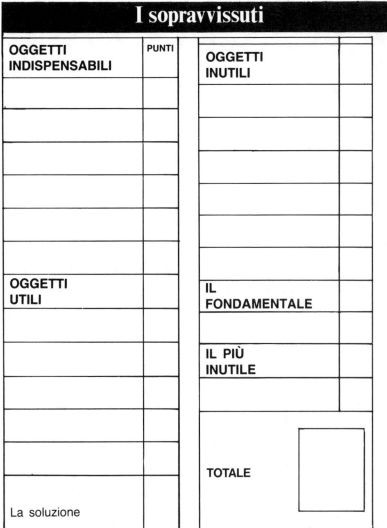

OGGETTI INDIPENSABILI (3 PUNTI)

50 elastici: servono a stringere i polsini del giaccone e dei pantaloni, impedendo a sanguisughe e zecche di arrivare a contatto con la pelle.

Una piccozza: utile per mille usi; è necessaria per scavare un fossatello per il riparo della notte.

2 kg di sale: umido può essere usato sulle ferite degli insetti, utile contro la disidratazione

Magliette di cotone a manica lunga: nei climi caldi sono d'obbligo per proteggere il corpo dagli insetti e dal sole.

Ago, filo e spille da balia: per tenere insieme e cucire tutto, anche la pelle in caso di ferite

Telo di nailon (2 metri per 2): necessario per coprire la buca scavata per ottenere l'acqua distillata.

OGGETTI UTILI (2 PUNTI)

Carbone di legna: sciolto in acqua calda è efficace in casi di diarrea.

10 retine per farfalle: unendole insieme si può costruire una rudimentale zanzariera ideale per proteggersi soprattutto durante il sonno.

Un poncho tipo messicano: può essere utilizzato per costruire legandolo con delle linea una specie di amaca.

Una torcia elettrica: da usare con parsimonia, riservandola alla pesca notturna: i pesci sono attratti dalla luce.

Una scatola di detersivo: indumenti puliti hanno maggiore potere isolante termico di quelli sporchi.

Un set di cannucce: ottenuta l'acqua per distillazione la cannuccia servirà per bere senza spostare l'attrezzatura.

OGGETTI INUTILI (1 PUNTO)

Scialuppa di salvataggio: di scarso valore dal momento che non si può usare per lasciare l'isola.

Un sacco a pelo: inutile: siete ai tropici mica al Polo Nord.

Una bussola modello a lente: indispensabile nel caso doveste trovare qualcosa, ma qui è qualcun'altro che deve trovare voi.

Dieci pacchi di spaghetti: buoni da mangiare: ma una pentola dove pensate di trovarla?

Apparecchio radio a batterie: come sa ci fate, ci ascoltate un po' di musica in mezzo all'oceano?

Una scatola di lucido per scarpe nero e una marrone: utile solo nel caso abbiate portato un paio di scarpe nere e uno marrone...

IL FONDAMENTALE (10 PUNTI)

20 confezioni da uno di omogeneizzati: eccellente riserva di cibo, che presenta buone caratteristiche di conservazione, facilmente trasportabile.

IL PIÙ INUTILE (10 PUNTI)

Una macchina da scrivere portatile: a che serve? Boh, chiedetelo a chi l'ha messa nelle cose utili.

Rispondi alle domande.

1. Hai sognato di passare un'estate in qualche atollo polinesiano? Per quali ragioni?

2. Ti fanno paura i cannibali? E i pesci predatori?

3. Qual è invece la realtà, cioè, dove ti trovi per fortuna?

4. Che occasione ti offre l'autore di questo gioco?

5. Quale sarebbe la tua risposta alla domanda: «Sapresti cavartela in situazioni estreme»?

6. Cosa ti chiede di immaginare l'autore?

7. Che cosa si deve attendere pazientemente dopo un naufragio?

8. Quanti oggetti hai potuto salvare dal naufragio?

9. Cosa devi scrivere nella colonna?

10. Quanti oggetti sono indispensabili? Quanti utili? Quanti inutili?

11. Quanti punti si guadagnano per l'oggetto fondamentale?

12. Ti piace questo tipo di gioco? Spiega la tua risposta.

La famiglia italiana, una spendacciona

Il «Belpaese» continua a non badare a spese: le famiglie italiane sembrano infatti mantenere un elevato tenore di vita. La «fotografia» che l'Istat fa dell'Italia nell'edizione 1988 del compendio statistico italiano, lo conferma sotto vari aspetti. I 57 milioni e 399.108 italiani (tanti eravamo al primo gennaio '88) continuano dunque ad avere come punti cardinali la salute, il benessere, la famiglia, l'istruzione.

Per ciascuna di queste categorie i dati Istat mettono in evidenza il miglioramento che ha caratterizzato questi ultimi anni. L'età media è sensibilmente aumentata, proseguendo il trend già in atto negli ultimi 50 anni.

E' cresciuta nelle famiglie italiane l'esigenza di conoscere, viaggiare, vedere, sapere di più: le statistiche relative ai fabbisogni culturali e so-

□ Sono in crescita gli «investimenti» per la cultura e il tempo libero. Oltre 450 miliardi l'anno per manifestazioni sportive

ciali vari lo confermano. Nel giro di tre anni le spese degli italiani per gli spettacoli sono cresciute da 1.825 miliardi di lire a 2.528 miliardi di lire, di cui un quinto (453 miliardi) «impegnato» per manifestazioni sportive.

Ma la «voglia» di spendere da parte dell'italiano medio non si esaurisce qui: è cresciuta anche l'esigenza di sapere di più, come testimoniano le alte cifre relative alla tiratura delle opere pubblicate (la tiratura '87 ha superato abbondantemente i 160 milioni di copie). E con i libri, anche l'istruzione ha goduto,

in questi ultimi anni, di un evidente «salto qualitativo» in avanti. Dall'esame dei dati Istat, si rileva infatti che la popolazione scolastica italiana (scuola elementare, media, secondaria superiore e università) è risultata nell'anno scolastico '88-'89 di 9 milioni 682.418 studenti, con un aumento dell'11,2% rispetto a 20 anni prima.

Mentre sono aumentati gli studenti della scuola media (+25,3% rispetto al 1968), della scuola secondaria (+85,1%) e dell'università (+113,3%), gli alunni delle scuole elementari hanno regi-

strato una diminuzione del 30,5%, a causa del calo demografico. Con riferimento all'anno scolastico '87-'88, il calo investe invece oltre alle elementari, anche le medie, mentre risultano ancora in crescita gli studenti delle medie superiori e dell'università.

Ai fini della valutazione delle condizioni di vita della popolazione assume un importante rilievo il capitolo dedicato alla Sanità, all'assistenza e alla Previdenza sociale. Nel nostro Paese risulta, che le più frequenti cause di mortalità sono, nell'ordine, le malattie del sistema circolatorio e i tumori.

I dati relativi alle interruzioni volontarie di gravidanza mettono in rilievo una diminuzione dei tassi in tutte le regioni fatta eccezione per Toscana, Molise, Campania, Calabria.

Leggi quest'articolo di giornale sull'elevato tenore di vita degli italiani. Poi rispondi alle domande.

1. Secondo il compendio statistico, quanti sono gli Italiani?

2. Quali sono i quattro punti cardinali, cioè le questioni più importanti, degli Italiani?

3. Sono questi punti cardinali gli stessi nel tuo paese? Che differenza c'è?

4. Cos'è cresciuta nelle famiglie italiane? Ci sono le stesse esigenze nelle famiglie del tuo paese? Spiega.

5. Di quanto è aumentata la popolazione scolastica italiana?

6. Per quali ragioni è diminuita la registrazione nelle scuole elementari? Esistono attualmente le stesse condizioni nelle scuole elementari nel tuo paese?

7. Secondo la valutazione delle condizioni di vita della popolazione italiana, quali risultano le più frequenti cause di mortalità? Sono queste le cause di mortalità più frequenti nel tuo paese?

8. Secondo la pubblicità del «Motelagip», quali piaceri sono offerti agli ospiti?

Leggi l'articolo.

Le vacanze del povero ladro

di GIORGIO MANGANELLI

RICORDO di aver letto un racconto, chissà di chi era, in cui si trattava della famigliola di un ladro che voleva andare in vacanza come tutti, e il ladro, un bonaccione affettuoso, diceva che lui veramente voleva restare in città perché quello era il momento buono. La famigliola, due o tre ragazzini, due nonni, uno zio strambo ma non pericoloso, faceva una solenne e bene articolata lagna. La moglie, poi, non bisogna nemmeno dirlo: «Ecco, me lo diceva la mamma, non sposare un ladro, poi finisce che non puoi mai andare in vacanza quando ci vanno le tue amiche, e ci si fa una brutta figura. Non sposare un ladro,

poi a Natale finisce in galera e figurati che festa. Non sposare un ladro, ti porta sempre in casa regali di seconda mano, magari roba fine, ma sul sciupato, si capisce».

Nel racconto, il ladro figurava come un sentimentale che cercava di spiegare che il suo lavoro cominciava per l'appunto quando gli altri smettevano la notte, il week-end, le feste, e soprattutto le vacanze. Ma si sa come sono queste mogli. «Me lo diceva mia madre, non sposare un ladro, ti torna a casa alle tre di notte e sveglia i bambini, e sabato e domenica ti tocca dire alle tue amiche che questo week-end lo passi in città, tuo marito ha del lavoro arretrato, che magari è anche vero, ma come fai a spie-

garglielo? E poi diventate vecchi, e neanche un filo di pensione, e la galera non conta ai fini pensionistici».

Poi il ladro cerca di spiegare che si potrebbe mandare la famiglia in vacanza e lui restare in città, ma i bambini vogliono il babbo che ha sempre delle storie strane e divertenti da raccontare, ma, dice la moglie, come fai a dirgli che non sono mica storie, ma cose vere?

Non ricordo come finiva: posso immaginare che il ladro si rassegnava, andava in vacanza, anzi comprava un vestito per la moglie con soldi veri, e si prestava ad andare a spasso con la famiglia, camminando adagio, per farsi vedere, perché fosse chiaro che era un buon ma-

rito, un bravo babbo, un nipote sollecito.

Poi tornava in città quando la città non era più quel bel deserto che si era sognato per tutto l'anno e al primo furto, si sa, lo acchiappavano, come lui prevedeva. Per cui il primo furto nemmeno lo faceva, si trovava un impiego modesto ma che gli consentiva di passare la notte a casa, e forse tra un paio d'anni comincerà ad andare fuori per il week-end; e il ferragosto sarà per lui come quel santo che ti mette sulla buona strada.

O forse la conclusione era diversa, magari il primo furto gli andava bene, anche il secondo, e poi, al terzo... Peccato, un brav'uomo come lui.

Rispondi alle domande.

1. In quale persona è scritto questo racconto?
2. Di che si tratta nel racconto?
3. Perché preferiva non andare in vacanza il ladro?
4. Chi sono i membri della famiglia menzionati nel racconto?
5. Cosa diceva alla figlia la suocera del ladro?
6. Quando incominciava il lavoro del ladro?
7. Secondo la moglie, che succede quando il ladro torna a casa alle tre di notte?
8. Cosa teme la moglie quando sarà vecchia?
9. Che tipo di storie racconta il ladro ai bambini?

10. Sono vere o ben trovate le storie del ladro?
11. Come immagina la fine del racconto, l'autore?
12. Quale conclusione daresti tu al racconto?
13. Immagina un piccolo dialogo:
    Personaggi: Giulio, un ladro
    Anna, sua suocera
    Rosa, moglie del ladro
    vicini e amici
    bambini
    Giorgio, narratore

la vela

Coppa del Mondo

Il Giro d'Italia a vela

sci
nautico

ALPINISMO

Sport, mare e uomini

qualificazioni olimpiche

Pugilato
Il titolo italiano dei superwelter si combatte in piazza

Nuoto

Diportisti
Nove regole per stare più tranquilli

Ecco nove regole d'oro per i diportisti:

1 - Conosci bene la tua imbarcazione? In particolare le caratteristiche dello scafo e del motore

2 - Sei provvisto delle dotazioni di sicurezza? Bussola, fanali di posizione, razzi, estintori, ancora e cime, radio di bordo

3 - Hai acqua e viveri a sufficienza per il viaggio?

4 - Conosci bene la rotta da seguire? Secche o fondali bassi, punti di riferimento a terra.

5 - Conosci i divieti imposti dall'autorità marittima a salvaguardia della vita umana in mare? Specchi d'acqua frequentati da bagnanti o sub

6 - Hai controllato se c'è acqua in sentina?

7 - Funziona la pompa di sentina?

8 - Conosci le condizioni meteomarine che interessano la zona che devi attraversare?

9 - Per le lunghe traversate hai avvertito l'autorità marittima ed i tuoi familiari?

Tennis:

Coppa Europa

Basket

pesca

Galoppo

applausi

a pieno ritmo
Vialli & C. fanno sul serio

dal nostro inviato LICIA GRANELLO

IL CIOCCO – Gianluca Vialli ha i capelli corti da bravo giocatore e un disarmante sorriso irregolare. Le ricche signore americane tutte fiori e creme abbronzanti se lo mangiano con gli occhi, mentre i mariti, distratti, giocano a tennis.

Arrivano
i tifosi

Calcio.

Parole utili

la lotta

il pugilato

il tennis da tavolo,
ping-pong

il pattinaggio

la scherma

l'allenatore

il canottaggio

l'ippodromo

la squadra

il gol (segnare un . . .)

la corsa

il torneo

l'incontro

il premio

il traguardo

la vittoria

la sconfitta

la palla

il ciclismo

Luca Cadalora, il più atteso a Donington

MOTOMONDIALE. PRIME PROVE IN INGHILTERRA

Brugna nella scia dell'allenatore Valentini

Ciclismo: ragazza di 15 anni stacca anche i maschietti «Vincere contro loro è bello»

Si è presentata al traguardo con 20 secondi di vantaggio, ha alzato le braccia al cielo ed è poi salita sul podio: Fabiana Luperini, pisana, 15 anni, ha vissuto ieri una domenica speciale. La vittroia nel trofeo «Bartolozzi» di ciclismo ci poteva pur stare, visto che in passato aveva già conquistato titoli e trofei in tutta Italia. Mai però avrebbe immaginato di battere i rivali maschietti.

Eh sì, perché il «Bartolozzi» era una corsa aperta a tutti. «Certo – ha detto Fabiana dopo l'arrivo – vincere è bello, ma battere i maschi è davvero un'altra soddisfazione». Due anni orsono un'altra ragazzina, Cristiana Mancini, nel campionato toscano di ciclismo battè in volata tutti i concorrenti maschi.

1. Quale sport preferisci tu? Spiega le tue ragioni.

2. **Intervista a un compagno (o a una compagna):**
   Utilizzando le domande proposte nell'articolo «Diportisti: Nove regole per stare più tranquilli», chiedi a qualcuno di rispondere, a seconda le indicazioni fornite o offrendo risposte originali ma logiche.

3. I tifosi, specialmente le donne ricche americane «se lo mangiano [Gianluca Vialli] con gli occhi». Spiega il significato di questa locuzione.

4. L'articolo sul ciclismo afferma che, secondo la giovane pisana quindicenne, Fabiana Luperini, «vincere è bello, ma battere i maschi è davvero un'altra soddisfazione».
   Domanda a qualcuno: Sei d'accordo con questi sentimenti? Perché?

Leggi la poesia «SEGGIOVIA».

1. Qual è l'idea principale? Quali effetti provi leggendola?

2. Preferisci la lettura di poesia o di prosa? Spiega.

3. Ti piace la poesia classica o moderna? Spiega.

4. Sei mai andato/a in seggiovia? Dove? Per quale occasione?

5. Spiega il senso del primo verso.

6. Quali emozioni provi quando vai in seggiovia?

7. Spiega il verso «mentre un coro le accompagna».

Sembran seggiole d'asilo,
messe in fila e appese a un filo:
van su e giù per la montagna,
mentre un coro le accompagna.
Che magnifica emozione,
quando passan sul burrone!
Sia che scendi, sia che sali,
fan l'effetto d'aver l'ali.
Vanno i garruli sedili,
cigolando appesi ai fili:
su alla vetta o al piano vanno:
quando mai si fermeranno?

LUCIANA MUSSO

SEGGIOVIA

REBUS

■ ■ ■ ■ ■ ■ ■ ■ ■ ■ ■ ■ ■ ■ ■ ■ ■ ■ ■

Dante Alighieri, il più illustre poeta italiano, autore della *Divina Commedia,* nacque a Firenze nel 1265 e morì a Ravenna nel 1321.

Il vocabolario della lingua italiana definisce così la parola *rebus:* Indovinello fatto con figure, note musicali, lettere o segni da cui si devono trarre parole, frasi.

Prova a indovinare questo rebus. (La soluzione si trova a piè di pagina).

REBUS: (1,1,5; 3,5) = 7,8

Il Messaggero

il vostro futuro.

La EF Scuola Europea di Vacanze,

UNA LINGUA STRANIERA COME INVESTIMENTO PER IL TUO FUTURO

Conoscere una lingua straniera è ormai una condizione indispensabile per un avvenire di sicuro successo. Non si tratta più infatti di un semplice fatto di cultura ma piuttosto di una necessità. Sia in campo economico che scientifico, è richiesta la padronanza di un idioma straniero per fronteggiare e gestire i sempre più frequenti scambi di informazione.

E da sempre insegnanti, genitori e studenti, sono sicuri del fatto che una lingua straniera si apprende con risultati ottimali solo nel Paese di origine. Dallo stimolante coinvolgimento scaturisce infatti un facile e fluido apprendimento.

Tu dici: «Ma se io non avrò mai la fortuna di andare in Italia, a che prò studiare l'italiano?» La risposta è semplice: imparare una lingua vuol dire apprezzare e conoscere un altro popolo; vuol dire avere l'esperienza di allargare la tua mente; vuol dire renderti più curioso, pronto a captare il nuovo e diverso che ti circonda.

Vuol dire anche instillare in te il senso che altri popoli hanno una lingua, una cultura, una psicologia e un modo di comunicare le loro idee.

«Va bene», dirai, «ma che altri vantaggi posso trarre dallo studio di una lingua straniera?» Anche qui la risposta è facile: goderai di una soddisfazione personale che corrisponde alle tue esigenze. Insomma, conoscerai più a fondo lo spirito e la vita degli italiani che spesso vanno traditi nelle traduzioni.

1. Per quali ragioni stai studiando l'italiano?

2. Quali sono i grandi vantaggi di conoscere una lingua straniera?

3. Domanda a qualcuno perché gli piacciono le lingue straniere, specialmente l'italiano.

l'universo università

i corsi

italiani

■ **GIURISPRUDENZA**
Corso in giurisprudenza
■ **STATISTICA**
Corso di scienze statistiche e demografiche
Corso di scienze statistiche ed economiche
Corso di scienze statistiche ed attuariali
■ **ECONOMIA E COMMERCIO**
Corso di economia e commercio
Corso di economia aziendale
Corso di economia politica
Corso di discipline economiche e sociali
■ **ECONOMIA E COMMERCIO**
Corso di scienze statistiche ed attuariali
Corso di scienze bancarie e assicurative
Corso di scienze statistiche ed assicurative
■ **LETTERE E FILOSOFIA**
Corso di lettere
Corso di filosofia
Dams (Discipline arti musica e spettacolo)

Corso di chimica
Corso di scienze biologiche

■ **INGEGNERIE**
Corso di ingegneria nucleare
Corso di ingegneria elettronica
Corso di ingegneria chimica
Corso di ingegneria civile edile
Corso di ingegneria civile
Corso di ingegneria dei materiali
Corso di ingegneria aeronautica
Corso di ingegneria meccanica
Corso di ingegneria mineraria
Corso per indirizzo di ingegneria metallurgica
Corso di ing. civile per la difesa del suolo e la pianificazione del territorio
Corso di ingegneria elettronica
Corso di ingegneria forestale
Corso di ingegneria delle tecnologie industriali

■ **LETTERE E FILOSOFIA**
Corso di lingue moderne
■ **LETTERE E FILOSOFIA**
Corso di storia orientale
Corso di storia medievale e moderna
Corso di geografia
Corso di storia dell'arte
■ **LETTERE E FILOSOFIA**
Corso di conservazione dei beni culturali
Corso di storia antica
Corso di filosofia e storia dell'Europa orientale
Corso di lingua e civiltà orientale
■ **LETTERE E FILOSOFIA**
Scuola di paleografia e filologia musicale
Corso di laurea in sociologia
■ **MAGISTERO**
Corso di pedagogia

■ **FACOLTA' TEOLOGICHE**
■ **MEDICINA**
Corso di medicina e chirurgia
Corso di odontoiatria
■ **FARMACIA**
Corso di farmacia
Corso di chimica e tecnologia farmaceutica
■ **AGRARIA**
Corso di scienze forestali
Corso di agricoltura tropicale
Corso di scienze agrarie
Corso di preparazioni alimentari
Corso di scienze agrarie
■ **MEDICINA VETERINARIA**
Corso di medicina veterinaria
Corso di scienze della produzione animale
■ **ARCHITETTURA**
Corso di architettura

Corso di psicologia
Corso di materie letterarie
Istituto universitario di magistero

■ **SCIENZE POLITICHE**
Corso di scienze politiche

■ **SCIENZE MATEMATICHE, FISICHE E NATURALI**
Corso di chimica industriale
Corso di matematica
Corso di scienze naturali
Astronomia ottica
Radioastronomia

■ **SCIENZE MATEMATICHE, FISICHE E NATURALI**
Corso di fisica
Corso di scienze dell'informazione
Corso di scienze geologiche

Corso di urbanistica
Disegno industriale
■ **LINGUE E LETTERATURE STRANIERE**
Corso di lingue e letterature straniere
Corso di lingue e letterature orientali
Istituto universitario di lingue moderne
Corso di interpreti e traduttori
■ **ISTITUTO UNIVERSITARIO NAVALE**
Corso di economia marittima e commercio internazionale
Corso di scienze nautiche
■ **SOCIOLOGIA**
Corso di sociologia
■ **ISEF**
(Istituto superiore di educazione fisica)
■ **ACCADEMIA BELLE ARTI**

E inoltre i corsi di laurea di nuova istituzione e paralleli con gli studi universitari in Europa.

REGIONE ■ MARCHE
ENTE REGIONALE PER IL DIRITTO
ALLO STUDIO UNIVERSITARIO DI URBINO

E.R.S.U.

Buono Pasto

278 saggi vi raccontano la Storia.

U n'opera che pone originalmente in primo piano la trattazione dei problemi che costituiscono il presupposto della ricerca e della divulgazione storiografica.

L' ampio e articolato disegno dei fondamentali aspetti della vita economica e sociale, delle questioni centrali della politica e delle istituzioni, del mondo culturale, artistico e religioso.

10 volumi nei quali non solo gli storici ma anche i filosofi, i sociologi, gli economisti, gli storici dell'arte interrogano il passato svelando le molte facce della sua complessità.

LA STORIA
I grandi problemi dal Medioevo all'Età Contemporanea diretta da
Nicola Tranfaglia e Massimo Firpo

UTET
EDITORI DAL 1791

AUTORITRATTO

■ ■ ■ ■ ■ ■ ■ ■ ■ ■ ■ ■ ■ ■ ■ ■ ■ ■ ■ ■

Rispondi alle seguenti domande. Poi metti insieme le tue risposte per ottenere un «autoritratto».

Chi sei?
1 ☐ studente scuole superiori
2 ☐ studente universitario
3 ☐ operaio
4 ☐ impiegato
5 ☐ libero professionista
6 ☐ disoccupato
7 ☐ altro

Come impieghi il tuo tempo libero?
1 ☐ musica
2 ☐ lettura
3 ☐ sport
4 ☐ televisione
5 ☐ cinema
6 ☐ fotografia
7 ☐ altro

Che genere musicale preferisci?
1 ☐ rock
2 ☐ jazz
3 ☐ classica
4 ☐ altro

Cosa leggi abitualmente?
1 ☐ quotidiano
2 ☐ settimanale di attualità
3 ☐ riviste sportive
4 ☐ altro

Leggi «Per Lui»?
1 ☐ abitualmente
2 ☐ quando capita

Preferisci libri di
1 ☐ narrativa
2 ☐ saggistica
3 ☐ attualità
4 ☐ sport
5 ☐ avventura
6 ☐ gialli, terrore, mistero
7 ☐ fantascienza

Che sport pratichi?
1 ☐ calcio
2 ☐ pallacanestro
3 ☐ nuoto
4 ☐ sci

5 ☐ tennis
6 ☐ alpinismo
7 ☐ palestra
8 ☐ motociclismo
9 ☐ atletica leggera
10 ☐ altro

Quali dei seguenti sport-avventura ti piacerebbe praticare?
1 ☐ scalate
2 ☐ discese in canoa o gommone
3 ☐ rally
4 ☐ deltaplano
5 ☐ trekking
6 ☐ altro

Per le tue vacanze scegli
1 ☐ un viaggio organizzato tradizionale
2 ☐ un viaggio-avventura ma organizzato
3 ☐ un viaggio programmato da te

Quali di queste cose desidereresti di più?
1 ☐ una moto
2 ☐ una vacanza all'estero
3 ☐ un impianto stereo
4 ☐ un gurdaroba firmato
5 ☐ altro

In che cosa spendi il tuo budget mensile?
1 ☐ libri
2 ☐ dischi
3 ☐ vestiti
4 ☐ viaggi
5 ☐ accessori auto o moto
6 ☐ collezionismo
7 ☐ altro

Il tuo professore d'italiano ti ha dato il compito di intervistare uno studente che tu non conosci bene. A ogni risposta ricevuta, aggiungi un breve commento personale di modo che l'intervista risulti in un dialogo completo.

Per esempio:
Tu: Chi sei?

Lui: Sono uno studente universitario.
Tu: Ah, sì, anch'io sono studente. Dimmi, che cosa fai nel tuo tempo libero?
Lui: Quando ho del tempo libero, che non succede spesso, ascolto la musica.
Tu: Io invece no. A me mi piace andare al cinema. Ma, che genere musicale preferisci? *Ecc.*

LA DOMENICA

C'era una volta la domenica. Arrivava ansimando all'ultimo momento, mentre la settimana stava per partire, stringeva frettolosamente la mano al sabato e si sedeva nella poltrona più comoda della casa. Era vestita a festa e se ne andava a mezzanotte, quando arrivava il lunedì, in bicicletta e con la tuta blu da operaio.

La domenica era come una vecchia zia che noi aspettavamo perché ci portava il cartoccino con le paste dolci, ma poi, una volta arrivata, non vedevamo l'ora che se ne andasse.

Bisognava farle il pranzetto, e poi farle vedere la città e poi condurla a prendere il tè al Motta. E bisognava ascoltare tutte le sue critiche alla gente che passava.

Nel tardo pomeriggio, quando il sole si rifugiava alla periferia, la domenica si insediava in salotto e cominciava a parlare di vecchie malinconie e non la finiva più e non andava più via.

C'era una volta la domenica: ed erano quelli i tempi felici in cui i giorni erano tutti diversi l'uno dall'altro.

Giovannino Guareschi, *Ritorno alla base*, Rizzoli

Dei diciannove mesi di prigionia trascorsi nei Lager tedeschi, Guareschi aveva conservato e riportato in Italia le numerosissime pagine scritte per rendere meno duro a se stesso e ai suoi compagni di sventura il periodo dell'internamento. . . .

Nel 1957 Guareschi volle ritornare nei luoghi in cui era stato internato. . . .

Ritorno alla base ripropone i pensieri, le speranze, le illusioni, le letture, le conversazioni, i progetti di un «internato qualunque» che possiede l'arte della poesia, la capacità di esprimere i sentimenti comuni a ogni essere umano, non importa se amico o nemico, perché, come ci ammonisce lo stesso Guareschi, «tutto il mondo è paese».

Dal guardia di *Ritorno alla base*

Rispondi alle domande.

1. Perché arrivava ansimando all'ultimo momento la domenica?

2. Com'era vestita la domenica? Perché?

3. Spiega il senso della frase: «Arrivava il lunedì in bicicletta e con la tuta blu da operaio».

4. Perché era benvenuta la zia?

5. Cosa bisognava fare per la zia?

Rispondi alle domade.

1. Qual è l'idea principale di questo brano?

2. Spiega la frase: «Tutto il mondo è paese».

3. Qual è il tono di questo brano?

4. Quanto tempo trascorse in prigionia il Guareschi?

5. Quando è nato il romanziere? Quando è morto? Che onore gli hanno conferito nel 1987?

Da notare: Giovannino Guareschi è nato a Fontanelle di Roccabianca (Parma) nel 1908, ed è morto a Cervia nel 1968. È stato prigioniero nei Lager nazisti dal settembre, 1943 alla fine della Seconda Guerra mondiale. *Il Diario clandestino, Don Camillo* ed altre opere di questo scrittore sono state tradotte in varie lingue. Il 26 aprile, 1987, in onore dello scrittore, è stato fondato il «Club dei Ventitrè» il cui scopo è il promuovere studi, ricerche, convegni, per favorire l'approfondimento e lo sviluppo della cultura italiana nel nostro secolo con riferimento al ruolo nazionale ed internazionale che in tale ambito spetta all'opera di Giovannino Guareschi.

Moravia

Lo scrittore Alberto Moravia nel giardino della sua villa di Sabaudia, fatta costruire nel '73 insieme a Pier Paolo Pasolini (Foto di GUIDO SEDITA)

dal nostro inviato
SALVATORE TAVERNA

SABAUDIA—Il maestro afferra con energia una sedia pieghevole. La porta in un angolo del giardino. «Ne prenda un'altra per lei», comanda con decisione. Poi s'accomoda. «Veloce perché stavo lavorando», aggiunge. Sono le dieci e cinque. Questa, per Alberto Moravia, è un'ora sacra. Il più illustre scrittore italiano, in camicia americana a quadrettini e pantaloni beige, al mare o in città s'impone di stare a tavolino dalle otto alle undici e trenta. Perché il maestro mi ha voluto ricevere durante l'orario creativo e non di pomeriggio? Chissà. Moravia non lo spiega. «Avanti», comanda. «Partiamo per questo *viaggio*».

Come ha scoperto Sabaudia?

«La prima volta capitai da queste parti nel '59 con Elsa Morante. Vedemmo una casetta. Carina. Ma Elsa non rimase soddisfatta. Allora decisi di non comprarla. Oggi sono contento per quel rifiuto. La villetta che mi hanno costruito è più bella. Ricordo. Era l'ultima area libera sul lungomare: seimila metri quadri: tremila a me e tremila a Pier Paolo Pasolini. L'abbiamo fatta costruire insieme perché eravamo molto amici. E ci piaceva l'idea di passare l'estate in questo posto straordinario. Anche a Ro-

☐ Tutti i giorni dalle 8 alle 11,30 lo scrittore si mette a tavolino e lavora. Il pomeriggio fa la spesa o riceve gli amici: «Ma quest'anno ne passano pochi; a volte viene Carmen e si tuffa subito in acqua»

☐ «Arrivai qui nel '59 con Elsa Morante: vedemmo una casetta ma a lei non piacque. La villetta dove sto adesso è più bella». I ricordi, le cene a base di pesce, i libri che «non parlano di nulla»

ma ci vedevamo spesso. Lui, a Sabaudia, veniva tutti i sabati e le domeniche. La sera usciva in macchina. E tornava alle tre del mattino. La villetta fu costruita nel '73. Nel '75 Pasolini fu ucciso. Assassinato. Se l'è goduta poco».

Il progetto?

«Per questa casa esisteva già. Io ne avevo un altro più bello. Ma, al Comune di Sabaudia, me lo bocciarono. Com'era? Tre padiglioni convergenti con tetti neri: alla maniera giapponese. Al Comune hanno voluto un architetto di poca importanza. Chi se lo ricorda il nome! Insomma un groviglio burocratico. Io presi questo dannato progetto e chiamai un architetto di valore: diede un tocco di classe. Trasformò tutto. Venne fuori questa casa in stile Novecento. Interessante».

Lei lavora in maniera spartana. Non trasgredisce mai. Possible?

«Possibilissimo. Mattina a tavolino. Pomeriggio spesa in paese. O visita di qualche amico.»

Proviamo a consigliare qualche libro ai nostri lettori.

«Lei intende libri per l'estate, vero? Per carità! Non esistono libri estivi. Ma per tutte le stagioni. L'idea dei libri per l'estate viene

in mente agli analfabeti! Questi signori sono convinti che uno può diventare colto leggendo per due, tre mesi all'anno. E, per il resto del tempo, tornare ignorante».

Va bene maestro. Provi a consigliare libri per l'estate e l'inverno.

«Le persone incolte, l'estate, leggono i soliti classici: "Madame Bovary" e "Guerra e pace". Prendono un volumone in mano. Lo cominciano e lo abbandonano. Ne prendono un altro, stessa giostra. Le persone colte, invece, leggono ogni giorno quello che gli interessa».

Bene. Che libro sta leggendo in questi giorni?

«*Le gesta del Buddha*, l'opera più celebre del sapiente Asvaghosa. Perché m'incuriosisce Buddha? E' lui che s'interessa a me. Nel libro trovo delle cose che mi riguardano direttamente. In sostanza Lui ha teorizzato la *non esistenza*. E se uno non esiste, non si ammala, non invecchia, non muore. Questa cosa della vecchiaia, della malattia la sento particolarmente: perché sono vecchio e sono stato molto malato».

L'idea di un suo romanzo nata a Sabaudia?

«Un'opera narrativa non nasce mai da un'idea. Ma

dall'impostazione della voce. Sì, ogni romanzo viene alla luce impostando la voce: lo stile con cui sarà raccontato. Penso ai *cantori* primitivi, ai raccontatori: impostavano la voce con un certo tono».

Lei, come la imposta?

«Semplice. Scrivendo, sento che a un certo punto ho avviato la voce. Poi, tutto diventa più facile. La prima parola? Ha poca importanza. Quello che conta è l'insieme della narrazione. E' un fatto musicale. Auditivo».

E l'ispirazione?

«Non esiste. Esistono le operazioni mentali molto rapide. Che sembrano illuminazioni ma non lo sono. E' tutto un gioco di vitalità interiore».

Maestro, lei insieme ad altri intellettuali, ha firmato per accelerare l'uscita dal carcere di Armando Verdiglione, lo psicanalista-diabolico. Come mai?

«Dicono che obbligava le persone a fare quello che

voleva lui. Che gli sottraeva beni. Attenzione. Prima esisteva il reato di plagio. Poi è stato abolito. Ma è nata la "circonvenzione d'incapace". Secondo me, uno che si fa sedurre da Verdiglione non è un incapace. E' semplicemente una persona che crede a Verdi-glione. Questi accusatori stanno tutti bene. Circo-lano. Mica si trovano in manicomio».

Allora, secondo lei, chi ha torto non è l'Armando-psicanalista ma i suoi ex pazienti.

«Mi ascolti bene. Questa è un po' come la questione dei debiti. Lo sa che una persona, una volta, se non pagava un debito finiva in galera? Adesso, se uno non paga, rimane a casa sua. La colpa è di chi presta i soldi. Deve stare attento a chi li dà, chiaro?».

Cosa sta scrivendo in questo momento?

«La donna leopardo. Quinto rifacimento. Di cosa parla? Del nulla. I libri non parlano mai di niente».

Leggi l'intervista fatta al grande romanziere, poi rispondi alle domande.

1. Come ha scoperto Sabaudia?

2. Spiega la locuzione: «Lei lavora in maniera spartana».

3. Che genere di libri leggono le persone incolte secondo Moravia?

4. Perché legge *Le gesta del Buddha* Moravia?

5. Cosa dice Moravia sull'*ispirazione*?

LE SUE GIORNATE

■ ■ ■ ■ ■ ■ ■ ■ ■ ■ ■ ■ ■ ■ ■ ■ ■

Racconto del romanziere Alberto Moravia presentato in sei segmenti con apposite domande.

I

Ai romani, dicono che lo scirocco non fa nulla: ci sono nati. Ma io sono romano, nato e battezzato in piazza Campitelli, eppure lo scirocco mi mette fuori di me. La mamma che lo sa, quando la mattina vede il cielo bianco e sente l'aria che appiccica e poi mi guarda e nota che ho l'occhio torbido e la parola breve, sempre si raccomanda, mentre mi vesto per andare al lavoro: «Sta' calmo . . . non ti arrabbiare . . . controllati». La mamma, poveretta, si raccomanda a quel modo perché sa che in quei giorni c'è il caso che io finisca in prigione o all'ospedale. Lei le chiama «le mie giornate». Dice alle vicine: «Gigi, stamani è andato via che aveva una faccia da far paura . . . eh già, ci ha le sue giornate».

Sebbene sia piccolo, mingherlino e sfornito di muscoli, nei giorni di scirocco mi viene il prurito di attaccar briga o, come diciamo noi romani, di cercar rogna. Giro guardando gli uomini, soprattutto i più forzuti, e penso: «Ecco, a quello con un pugno gli romperei il naso . . . quell'altro, vorrei vederlo saltare a forza di calci nel sedere . . . e questo? un paio di schiaffoni da gonfiargli il viso». Sogni: in realtà tutti sono più forti di me. Per picchiare qualcuno, dovrei addirittura mettermi contro un bambino. E non è detta l'ultima parola. Certi ragazzini maneschi, perfidi, che si gettano a testa bassa e magari ti sferrano qualche calcio al basso ventre, a me fanno paura.

Per colmo di disgrazia, ho scelto il mestiere che non ci voleva: il cameriere di caffè. I camerieri, si sa, devono essere gentili, qualunque cosa avvenga. La gentilezza per loro è come il tovagliolo che tengono sul braccio, come il vassoio sul quale portano la bibita: uno strumento del mestiere. Dicono che i camerieri hanno i piedi pieni di calli. Io non ne ho, ma è come se li avessi, e i clienti non fanno che pestarmeli. Con la mia sensibilità, la minima osservazione, il minimo sgarbo mi mette in furore. E invece, mi tocca ingoiare, inchinarmi, sorridere, strisciare. Ma mi viene un tic nervoso sulla faccia che è il segnale della mia bile. Quelli del caffè, che lo sanno, quando mi vedono storcere il viso, subito dicono: «Ehi, Gigi, t'è andata male . . . che ti hanno fatto?». Insomma, mi canzonano.

Qualche volta, però, questa gran voglia di offendere e aggredire, riesco a sfogarla. Scelgo un luogo affollato, una piazza, un locale pubblico, mi capo il tipo dopo lunga osservazione, lo attacco con un pretesto, lo insulto. Naturalmente, quello fa per slanciarsi contro di me; ma subito quattro o cinque pacieri lo trattengono, si mettono in mezzo. Io ne approfitto per insultarlo ancora, ben bene, e poi mi allontano. Per quel giorno sto meglio.

Rispondi alle domande.

1. Lo scirocco è un vento caldo di sud-est che soffia dal Sahara. Come lo sa la mamma quando deve arrivare lo scirocco?

2. Come si raccomanda la mamma mentre il figlio si veste per andare al lavoro? Perché ?

3. Cosa s'intende con la locuzione «attaccar briga»?

4. Che pensieri gli saltano in mente a Gigi quando gira guardando gli uomini? Spiega la sua paura.

5. Che mestiere ha scelto Gigi? Quali sono i

requisiti per diventare un buon cameriere? Quali sono gli strumenti del mestiere?

6. Perché è facile per Gigi di mettersi in furore?

7. Qual è il segnale della bile di Gigi?

8. Perché lo canzonano quelli del caffè?

9. Come riesce Gigi a sfogare la sua gran voglia di offendere e aggredire?

10. Perché si sente meglio dopo aver attaccato qualcuno?

II

Basta, una di quelle mattine che lo scirocco si tagliava col coltello, uscii con il diavolo addosso. Una frase, soprattutto, mi ronzava nelle orecchie: «Se non la pianti, ti faccio mangiare il tuo cappello». Dove l'avevo sentita? Mistero: forse lo scirocco me l'aveva suggerita in sogno. Sempre rivoltando queste parole in testa, presi il tram per andare al caffè, un locale dalle parti di piazza Fiume. Il tram era affollato e già, nonostante l'ora mattutina, non si respirava. Strinsi i denti e mi misi in fila nel corridoio. Subito cominciarono con gli spintoni, come se non ci fosse altro modo di farsi avanti che a forza di gomiti. Cominciai a rodermi ma non dissi nulla. Il tram percorse lentamente il lungotevere, passò per il piazzale Flaminio, fece il Muro Torto, si avvicinò a piazza Fiume. Mi avviai verso l'uscita.

C'è una cosa che mi mette fuori di me, scirocco o no: quando in tram la gente mi chiede: «Scende? . . . scusi, lei scende?». Mi pare un'indiscrezione, come se, invece, mi domandassero: «Scusi, lei è cornuto?». Non so che darei per rispondergli che non sono fatti loro. Quella mattina, poco prima della fermata di piazza Fiume, la solita voce, tra la solita ressa, domandò: «Maschio, scendi?».

Anche un cameriere ha la sua dignità. Quel fatto di darmi il tu e di chiamarmi maschio aggiunse, alla solita rabbia, un risentimento dell'orgoglio. Dalla voce giudicai che dovesse essere un omaccione: proprio quel genere di persone che sogno di prendere a pugni.

Mi guardai intorno: la folla era enorme. Giudicai che potevo insultarlo senza pericolo e risposi: «Che io scenda o non scenda, a te che te ne frega?».

Subito la voce disse: «Allora levati e lascia scendere». Pronunziai senza voltarmi: «Un corno». Subito, come risposta, mi arrivò uno spintone da levarmi il fiato e, come un bolide, lui mi passò avanti. Non mi ero sbagliato: era largo, basso, con la faccia rossa, i baffi neri, all'americana, e un collo da toro. Aveva anche il cappello. Mi tornò in mente quella frase: «Se non la pianti, ti faccio mangiare il tuo cappello».

Lui stava scendendo, io ero sul predellino. Raccolsi le forze e gli gridai: «Beccamorto, ignorante». Lui, che era già sceso, si voltò, mi acchiappò per un braccio, mi fece volare di sotto come un fuscello. Urlava: «Mascalzone, ripeti un po' quello che hai detto». Ma già, come avevo previsto, si erano buttati in cinque o sei a tenerlo. Era la volta buona o mai più. Mentre lui si dibatteva e mugghiava come un bue, mi sporsi e gli gridai in faccia, proprio con odio: «Ma chi credi di essere? canaglia, farabutto, avanzo di galera . . . ma non lo sai che se non la pianti ti faccio mangiare il tuo cappello?». L'avevo detto e respirai: mi sentivo meglio. Lui, ad un tratto, cessò di dibattersi, si prese una mano tra i denti e levò gli occhi al cielo, dicendo: «Ah, se potessi». Rincuorato, gli andai sotto il naso e dissi: «Ma puoi . . . coraggio . . . vediamo . . . puoi . . . bullo, delinquente, schifezza». Finalmente ci separarono e io me ne andai senza voltarmi indietro, felice, fischiettando un'arietta.

Rispondi alle domande.

1. Spiega le seguenti locuzioni:
   a. Lo scirocco si tagliava con il coltello.
   b. Uscii con il diavolo addosso.
   c. Se non la pianti ti faccio mangiare il tuo cappello. (*piantare* = smettere, lasciare)

2. Perché cominciò a rodersi Gigi quando prese il tram?

3. Che cosa mette Gigi fuori di sé?

4. Cosa gli chiese la solita voce quella mattina?

5. Perché il sentirsi «dare del tu» aggiunse un risentimento dell'orgoglio?

6. Come gli rispose Gigi alla «voce»?

7. Cosa è accaduto subito dopo la risposta di Gigi?

8. Descrivi l'omaccione della «voce».

9. Riassumi la scenata tra Gigi e l'omaccione della «voce».

10. Perché Gigi se n'è andato fischiettando un'arietta alla fine della scenata?

III

Al caffè, mentre tiravamo fuori i tavolini, raccontai il fatto, naturalmente a modo mio. Descrissi l'uomo e poi spiegai come gli avessi detto il fatto suo, minacciandolo, per giunta, di fargli mangiare il cappello. Ma non dissi che mentre lo insultavo, lo tenevano in sei. Quelli, al solito, non mi credettero. Goffredo, il barista, disse: «Sei un gran ballista . . . ma ti sei mai guardato nello specchio?» Risposi: «È la pura verità . . . gli ho detto in faccia, a muso duro, quello che pensavo e lui ha abbozzato».

Ero gongolante, mi sentivo bene, perfino il mestiere quel mattino mi piaceva. Andavo, venivo, muovendomi come se ballassi, gridando le ordinazioni con voce squillante, allegra. Goffredo mi domandò seriamente: «Ma che, hai bevuto?». Gli risposi con una piroletta: «Poche storie . . . un bitter e una birra gelata».

Ero cosí contento che dopo parecchie ore, alle undici di sera, l'effetto benefico di quella scenata ancora perdurava. Verso quell'ora entrai nel bar per prendere due espressi e poi uscii, leggero come un passerotto. I tavoli a sinistra della porta sono i miei, in quel momento erano tutti occupati; soltanto, in fondo, ce n'era uno libero: come riuscii, vidi che qualcuno ci si era seduto. Portai gli espressi, quindi andai tutto vispo a quel tavolino, ci diedi una ripassata col tovagliolo e domandai: «I signori desiderano?» levando finalmente gli occhi. Mi mancò il fiato, poiché vidi che era proprio lui, che mi guardava sarcastico, il cappello rovesciato sulla nuca. Con lui stava un altro, della stessa razza: olivastro, quasi un mulatto, coi capelli grigi, gli occhi iniettati di sangue. Lui disse: «Guarda, guarda chi si rivede . . . i signori desiderano due birre».

«Due birre», ripetei senza fiato.

«Ma, oh, ghiacciate», disse lui. E con il piede, per cominciare, mi diede un pestone che mi fece saltare dal dolore. Ma non reagii, ero smontato, forse per la sorpresa e, ormai, avevo solo paura. Lui soggiunse guardandosi intorno: «Un bel localetto . . . ci hai molto da fare, maschio?».

«Secondo i giorni».

«E a che ora stacchi? . . . tanto per saperlo».

«A mezzanotte».

«Bravo, ci manca un'ora . . . la passeremo bene . . . e poi ti daremo la mancia».

Rispondi alle domande.

1. Cosa non disse Gigi al caffè quando raccontò il fatto a modo suo?

2. Perché il barista dice a Gigi: «Sei un ballista»?
   (ballista = chi racconta balle, frottole, bugie, cose non vere)

3. Spiega perché Gigi era contento del suo mestiere quel mattino.

4. Perché gli mancò il fiato a Gigi?

5. Cosa hanno ordinato i due signori che stavano seduti al tavolino?

6. Perché Gigi non ha reagito quando il signore gli ha dato una pestata sul piede?

7. Cosa vuol dire: «A che ora stacchi?» Come altro si potrebbe dire la stessa cosa?

8. Indovina bene Gigi l'intenzione del cliente quando si sente dire: «... E poi ti daremo la mancia»?

9. Riassumi a modo tuo cosa succede al bar verso le undici di sera.

10. Immagina cosa potrebbe succedere dopo la mezzanotte quando Gigi s'incontrerà con i due signori.

IV

Non dissi nulla e rientrai nel caffè. Goffredo, che stava maneggiando la vaporiera, mi lanciò un'occhiata e vide subito che ero cambiato. Dissi: «Due birre» con un fil di voce, appoggiandomi al banco per non svenire. Lui mi diede le birre e mi domandò: «Ma che hai? ti senti male?» Non gli risposi, presi le birre e tornai di fuori. Quello mi disse: «Bravo, come cameriere sei gagliardo». Ma subito dopo toccò le bottiglie e soggiunse: «Aho, ma queste sono calde».

Misi la mano su una delle bottiglie: era gelata. Osservai sottovoce: «Mi pare fredda». Lui sovrappose la mano sulla mia, stringendo fino a schiacciarmela, e ripeté: «È calda ... dillo anche tu che è calda».

«È calda».

«Cosí va bene ... portaci qualche cosa di veramente freddo».

«Un gelato», proposi smarrito.

«Bravo, un gelato ... ma mi raccomando: freddo»; e cosí dicendo mi allungò un calcio allo stinco. Il tavolino era messo in modo che si poteva vederlo dal di dentro. Goffredo, come mi presentai al banco, disse ridendo: «È lui, no?». Anche gli altri camerieri ridevano. Non risposi nulla, bianco in viso e tutto tremante. «Ma tu», continuò Goffredo prendendo i gelati nella sorbettiera, «non gli avevi fatto paura? e ora che aspetti a prenderlo a schiaffi ... su, facci vedere come sai metterlo a posto». In silenzio presi i gelati e li portai al tavolino. Lui, con un cucchiaino, ne staccò un pezzo, lo mise in bocca e poi mi domandò: «Dunque,

stacchi a mezzanotte ... e per tornare a casa, che strada fai?».

Risposi a caso: «Abito presso il Policlinico». Non era vero, perché sto a piazza Campitelli. E lui, feroce: «Bravo, cosí avrai meno strada da fare per andare al pronto soccorso».

Rispondi alle domande.

1. Perché si è appoggiato al banco Gigi?

2. Perché Goffredo chiese a Gigi se si sentiva male?

3. Racconta la scenetta tra il cliente e il cameriere quando questo gli porta le bottiglie.

4. Cosa gli ha chiesto il cliente di portargli allora?

5. Dove gli ha dato un bel calcio a Gigi quel signore?

6. Cosa gli ha chiesto Goffredo di fargli vedere?

7. Descrivi a modo tuo come Gigi ha portato i gelati al tavolino.

8. Che cosa gli domandò il cliente dopo aver staccato un pezzo del gelato?

9. Perché il cameriere dà un indirizzo falso al cliente?

10. Cosa intende dire il cliente con: «Bravo, cosí avrai meno strada da fare per andare al pronto soccorso?»

V

Andai al bar e dissi sottovoce a Goffredo: «Vuol menarmi ... mi aspetta per quando chiudiamo ... che debbo fare? ... forse dovrei chiamare una guardia». Goffredo alzò le spalle e rispose: «E come fai? ... quelli dicono che non ti conoscono ... Mica puoi fare arrestare la gente per le intenzioni». Diede una girata alla macchina e poi soggiunse: «Vuoi un consiglio? . . . cerca di rabbonirlo . . . chiedigli scusa».

Non avrei voluto, perché sono fiero. Ma ormai la paura vinceva qualsiasi altro sentimento. Cosí mi decisi: andai a quel tavolo, esitai un momento e poi, a bassa voce, dissi: «Scusi . . . ».

«Che? . . . » fece lui guardandomi.

«Ho detto: scusi . . . per quella faccenda del tram».

Mi guardò con stupore e poi disse: «Ma quale tram? Chi ti conosce? Chi t'ha mai visto . . . ah, ho capito, forse hai paura che non ti diamo la mancia . . . sta tranquillo . . . te la daremo la mancia . . . abbondante».

Ormai, quasi battevo i denti dal terrore. Sapevo che mi avrebbero aspettato e mi avrebbero seguito. Intorno a piazza Campitelli dove abito, i vicoletti in cui uno può anche ammazzare un uomo senza esser visto, non si contano. Me ne avrebbero date un sacco e una sporta e non c'era niente da fare.

Tornai nel caffè e arrischiai, a Goffredo: «Usciamo insieme . . . tu sei forte . . . ». Ma lui mi interruppe subito: «Io sono forte ma tu sei scemo . . . e poi che sarà? Prenderai qualche pugno . . . magari glielo renderai . . . non avevi detto che gli avevi fatto paura?». Insomma, continuava a canzonarmi. Anche gli altri due camerieri ridevano. Pensai che nessuno aveva pietà di me e mi vennero le lagrime agli occhi.

Rispondi alle domande.

1. Goffredo consiglia a Gigi di non chiamare una guardia. Spiega.

2. Che consiglio gli dà Goffredo a Gigi?

3. Gigi non voleva chiedere scusa al signore. Spiega.

4. Come gli risponde il cliente quando Gigi dice: «Scusi . . . per quella faccenda del tram»?

5. Perché Gigi batteva i denti dal terrore? Spiega la locuzione «Me ne avrebbero date un sacco e una sporta. . . .»

6. Perché Gigi preferiva uscire insieme a Goffredo?

7. Cosa gli ha risposto Goffredo quando è andato in retrobottega?

8. Spiega perché Goffredo e gli altri due camerieri ridevano.

9. Perché gli sono venute le lagrime agli occhi a Gigi?

10. Racconta a modo tuo la scenetta nel bar.

VI

Intanto il tempo passava, la mezzanotte si avvicinava. I due camerieri se ne andarono, uno dopo l'altro; Goffredo cominciò a ripulire il banco e la macchina; di fuori, ai tavolini, non c'erano più che quei due. Dopo aver pulito il banco, Goffredo uscí e cominciò a portar via i tavolini e le seggiole e ad ammucchiarli dentro il bar. Atterrito, mi guardavo intorno cercando una scappatoia. Ma sapevo che il bar non aveva doppia uscita; di scappare per le strade non poteva essere questione. Intanto, quei due avevano pagato, si erano alzati ed erano andati a mettersi sul marciapiede di fronte. Goffredo rientrò, andò nel retrobottega, si tolse la giubba e si avviò per uscire. Passandomi davanti mi disse, con un sorriso: «In bocca al lupo». Non ebbi la forza di rendergli il sorriso.

Ormai nel bar eravamo rimasti in due: io e il padrone che, in piedi dietro la cassa, faceva i conti della giornata. Aveva messo sul marmo i biglietti e li divideva in tanti mucchietti, secondo grandezza. Il locale andava bene: solo in biglietti da mille ci saranno state un trentamila lire. Guardai di fuori: i due erano sempre là, nell'ombra di un palazzo, sul marciapiede di fronte. Poco distanti, passeggiavano due carabinieri. Allora presi la mia decisione e mi sentii rinfrancato. Mi tolsi la giubba bianca da lavoro, indossai la mia, mi avvicinai al banco come per salutare il padrone, e quindi, con rapido gesto, afferrai il mucchietto dei biglietti da mille e imboccai di corsa la porta. Fuggendo per la strada, a rotta di collo, udii subito gridare «al ladro», e capii che il piano era riuscito. Continuai a fuggire ma rallentando sempre più; a piazza Fiume, gli autisti dei taxi, a quel grido di «al ladro», si erano disposti in cerchio e io, come quando si corre alla staffetta, mi lasciai circondare senza resistenza. Poi vennero i carabinieri, il padrone che urlava come un'aquila spennata, Goffredo che, al fracasso, era tornato indietro. Vedendomi tra le guardie, nel mezzo di una folla, Goffredo capí ogni cosa e gridò: «Gigi che hai fatto? Chi te l'ha fatto fare?». Gli risposi, mentre mi trascinavano via: «La paura . . . meglio in galera che all'ospedale». Intanto il padrone che aveva riavuto i soldi, da quel brav'uomo che era, si raccomandava: «Lasciatelo, è stato un momento di follia». Ma io: «Niente, portatemi in guardina . . . non si sa mai».

A. Rispondi alle domande.

1. Cosa stava facendo il padrone dietro la cassa?

2. Dove si trovavano i due clienti?

3. Chi stava passeggiando a poca distanza?

4. Perché il cameriere si è sentito rinfrancato quando ha guardato di fuori?

5. Cosa ha afferrato con rapido gesto il cameriere? Cosa ha fatto subito dopo?

6. Perché Gigi ha capito che il piano era riuscito?

7. Che cosa hanno fatto i tassisti a quel grido di «Al ladro»?

8. Perché Gigi si è lasciato circondare dai tassisti?

9. Cosa gli rispose Gigi a Goffredo quando questo gli gridò: «Chi te l'ha fatto fare?»

10. Racconta a modo tuo come finisce il racconto.

B. Esprimi il tuo parere.

1. Ti è piaciuta la fine del racconto? Te la eri immaginata o è stata una sorpresa per te? Spiega.

2. Ti piace lo stile di Moravia? Spiega.

3. Hai mai fatto il cameriere? Dove? Quando?

4. Racconta qualche piccolo episodio che ti rimane ancora vivo nel pensiero.

5. Questo racconto offre un'ottima occasione per dialogare le varie scenette e rappresentarle in classe:
   a. Dialogo fra Gigi e la mamma.
   b. Dialogo fra Gigi e i due signori.
   c. Dialogo fra Gigi e Goffredo.
   d. Dialogo fra Gigi e il proprietario.

Sta all'insegnante di fornire la spinta e l'aiuto necessari.

Giulia Fossà si ribella al maschilismo
Sul set siciliano vorrebbe i pantaloni

ROMA — Piccole scrittrici crescono. Se è vero che molti hanno il proprio romanzo nel cassetto, è anche vero che pochi poi se lo vedono pubblicare. Soprattutto giovani. Lara Cardella ha scritto il suo primo romanzo a diciannove anni, vincendo un concorso per giovani autori, ed è diventato un «bestseller»: 150 mila copie vendute. E un mare di polemiche. C'erano tutti gli ingredienti per fare di «Volevo i pantaloni» un film.

L'idea è venuta quasi contemporaneamente a Maurizio Ponzi e a Mario e Vittorio Cecchi Gori, regista e produttori del progetto, che con Giulia Fossà protagonista partirà il due ottobre e arriverà nelle sale in febbraio. Siciliani permettendo. «Non so che cosa succederà», dice Ponzi.

Sappiamo però che cosa è successo. Una storia per la serie: quando la realtà supera la fantasia. I maschi di una città della Sicilia, Licata, sono insorti contro una sua concittadina, Lara Cardella, «rea» di averli gettati nel disonore. La ragazza descrive il disagio di vivere seguendo regole e mentalità predeterminate, antiquate e bigotte.

«Vorrebbe avere la libertà dei maschi, privilegiati nel suo paese, vorrebbe avere la propria autonomia, e ogni piccolo segno di ribellione viene frustrato», ricorda il regista. Gli abitanti di Licata non si sono riconosciuti nel ritratto impietoso della giovanissima scrittrice, e hanno reagito.

Giulia Fossà, la protagonista di «Volevo i pantaloni»

In un piccolo paese siciliano, una studentessa universitaria scrive il suo primo romanzo. Non sogna il Principe Azzurro, come le altre ragazze, ma di mettersi i pantaloni.

Ecco un brano del romanzo: (1)

(La giovane ragazza arriva al convento stanchissima. Una monaca si affaccia dal portone.)

«Che ci fai tu, qua?»

«Ia . . . vuliva diri* . . . Io mi voglio fare monaca.»

«Ma chi sei?»

«Sono Annetta . . . Anna e voglio farmi monaca.»

«Questo l'ho capito. Ma i tuoi genitori dove stanno?»

«Io . . . non ne ho, sono orfanella e vivo da sola.»

E scoppiai a piangere, pensando a mio padre che mi voleva picchiare e avrei voluto essere orfana davvero.

La monaca mi guardò in uno modo strano, poi sorrise a mi fece entrare.

«Bene, orfanella, mi dici qualcosa di te?»

«Cchini? Chhi vò sapiri?»**

«Ad esempio, quanti anni hai, come sei vissuta fino a ora, se vai a scuola . . .»

«Ho tredici anni e non ci vado a scuola, perché non ho i soldi . . . Prima vivevo con mia zia Concetta, ma poi lei mi ha detto che me ne dovevo andare, perché non sapeva più che darmi da mangiare . . .»

*«Io . . . voglio dire . . .»
**«Cosa? Che cosa vuole sapere?»

«Scusa un attimo, ma non hai detto che vivi da sola?»

«Ah, sì . . . Cioè, ora vivo da sola. . . . E siccome non ho niente da mettermi. . . . Mi dà un bicchiere d'acqua?»

«Certo. Aspetta un attimo» e uscì.

*«Io . . . voglio dire . . . »
**«Cosa? Che cosa vuole sapere?»

Ritornò la monaca e mi diede l'acqua freschissima, ma poi ricominciò con le domade.

«E ora dimmi perché vuoi diventare suora.»

«Io . . . voglio stare sempre con Dio.»

«Ho capito, ma perché proprio qui?»

«Perché sì . . . A casa mia, mio padre . . . volevo dire mio zio, dice che non posso portare i pantaloni . . . »

«I pantaloni? E che c'entrano i pantaloni?» La monaca era visibilmente divertita.

«Ma voi, sotto la tonaca, non li portate i pantaloni? Io ho visto che padre Domenico ce li ha i pantaloni, sotto la tonaca . . . »

«Ma lui è un uomo . . . No Annetta, non li portiamo i pantaloni, credimi» e cercava di trattenersi dal ridere e di non guardarmi.

Dovevo essere proprio patetica.

«Ma allora, una si deve fare prete per portarli?»

«Non è necessario essere un prete . . . basta essere un uomo . . . »

Me ne andai tristissima, accompagnata dall'ilarità di quella monaca, ma con una nuova idea per la testa: *«Se sulu l'omina ponnu purtari i pantaluna, allura ia vogliu essiri ominu».**

(1)   Lara Cardella, *Volevo i pantaloni*

*Se solo gli uomini possono portare i pantaloni, allora voglio essere uomo.

A.   Rispondi alle domande.

1. Dice la verità Annetta? Giustifica la tua risposta.

2. È orfana la ragazza? Come lo sai?

3. Quanti anni ha Anna?

4. Perché non rimase più con zia Concetta?

5. Perché Anna chiede un bicchiere d'acqua?

6. Perché si vuole fare monaca Annetta?

7. Chi porta i pantaloni?

8. Perché si mette a ridere la monaca?

9. Prova ad immaginare l'idea che Anna ha per la testa per portare i pantaloni.

B.   Leggi l'articolo di Valerio Cappelli, poi rispondi alle domande.

1. Come si chiama l'attrice che interpreta il film?

2. Quanti anni aveva Lara Cardella quando ha scritto il suo primo libro?

3. Perché si sono levati contro la scrittrice i maschi di una città siciliana?

4. È contenta la scrittrice di vivere seguendo regole e mentalità antiquate e bigotte?

5. Cosa vorrebbe avere la scrittrice?

C.   Pensaci un po'.

1. Sei d'accordo tu con le idee della giovane ragazza?

2. È necessario portare i pantaloni per avere la libertà?

3. Credi tu nella completa uguaglianza fra maschi e femmine?

UNA RAGAZZA SI CONFESSA

Leggi la seguente introduzione, *Rapporti col principale*, tratto da *Le Italiane si confessano*; poi leggi la lettera di una ragazza diciassettenne. Se la lettera fosse stata indirizzata a te, come le avresti risposto? Sono prevalenti questi casi?

Rapporti col principale

Per una ragazza che lavora, il suo principale è sempre una persona importante: l'uomo "arrivato," con la macchina e una certa disponibilità di mezzi; se non è più molto giovane, in compenso è dotato di molta esperienza. Quando egli approfitta di queste sue chances, la ragazza che non sa difendersi cede facilmente a suggestioni sentimentali. Inoltre l'assidua vicinanza e la confidenza concessa come prova di liberalità, provocano pericolose illusioni, trasformando un normale rapporto di lavoro in un ambiguo ménage. Le lettere sull'argomento sono l'1%.

...Ho 17 anni e da circa un anno e mezzo svolgo lavoro d'ufficio in una Casa di spedizioni. Al contrario di molte ragazze della mia età, non desidero affatto fidanzarmi, appunto perché se prima tenevo lontani da me gli uomini, figuratevi adesso. Ascoltate cosa mi è capitato e se è vero che la ragione è mia. I miei principali sono due: uno di 36 anni e uno di 27. Sino ad un anno fa mi consideravano come una figlia, ma con l'andar del tempo il loro affetto si è trasformato in desiderio da ambo le parti. Il primo, alcuni giorni or sono, fece degli atti nei miei confronti che nemmeno un dongiovanni avrebbe fatto ad una ragazza seria come me. Dopo una violenta discussione, ciò non si verificò più. Il secondo lo credevo migliore, ma proprio oggi, data che non dimenticherò mai, all'improvviso mi ha messo le mani addosso e ha tentato di baciarmi. Sono riuscita a svincolarmi subito dalle sue braccia e gli ho detto quello che si meritava. Lui se ne è andato subito, cosa che avrei dovuto fare io, invece sono rimasta a meditare e ho pensato di scrivere a voi. In poche parole vorrei sapere se devo parlare di questo ai miei genitori. L'avrei già fatto, ma ho un padre che per difendere l'onore si ammazzerebbe. Aiutatemi voi, vi prego, e scusate se ci sono errori, ma comprenderete il mio stato d'animo.

FOLKLORE DELL'ALIMENTAZIONE

■ ■ ■ ■ ■ ■ ■ ■ ■ ■ ■ ■ ■ ■ ■ ■ ■ ■

Uno dei dati più caratteristici della vita familiare tradizionale è costituito dall'*ora dei pasti*, che è in rapporto alle diverse condizioni di lavoro e di vita paesana. Nell'Italia centro-meridionale, ad esempio, dove il paese è costituito dal conglomerato delle case dei contadini i quali si partono all'alba per recarsi a lavorare i campi, anche a distanza di parecchie miglia, e tornando al tramonto, la famiglia si trova riunita al desco soltanto una volta, la sera: durante il giorno ciascuno si ciba quando può. Nell'Italia settentrionale, invece, i due pasti principali rispecchiano abitudini di gente che si alza presto al mattino (es., pranzo a mezzogiorno e cena . . . di sera) e che ha la propria casa vicina al luogo di lavoro.

Paolo Toschi, *Il Folklore*

Rispondi alle domande.

1. Dopo aver letto l'articolo sul folklore dell'alimentazione, che differenze noti fra le usanze dell'Italia centro-meridionale e dell'Italia settentrionale?

2. Nel tuo paese esistono anche queste differenze?

3. Quante volte al giorno si riunisce la famiglia dei contadini?

4. Che cosa rispecchiano i due pasti principali nell'Italia settentrionale?

5. Il libro, da cui è stato tratto quest'articolo, è stato pubblicato nel 1969. Credi che queste differenze esistano ancora oggi? Giustifica la tua risposta.

6. Ecco i quattro punti cardinali: nord, sud, est, ovest. Sapresti sostituire queste parole con dei sinonimi?

7. Rileggi il brano e prova di riassumerlo.

8. Ti piacerebbe fare la vita dei contadini? Perché?

9. Cosa significa l'espressione: «Far venire l'acquolina in bocca»? Quali pranzi o dolci ti fanno venire l'acquolina in bocca? Spiega. Perché sembra così giulivo il cuoco?

10. Cosa regala il «Resto del Carlino» ogni giorno? Ti piace fare una collezione di ricette? Che tipo di ricette preferisci? Perché è piacevole inventare combinazioni più creative? Spiega.

PIZZA CON LE MARGHERITE

Una versione «autentica» della celebre specialità napoletana è il degno contorno ad una cena fatta tutta di fiori profumati di stagione. Credete sia solo una trovata per far colpo sugli amici? E invece no: ogni piatto è anche una sorpresa per il palato, a cominciare da un'insalata di «corolle miste» seguita da un delizioso risottino alla zucca

di GUIDO STECCHI

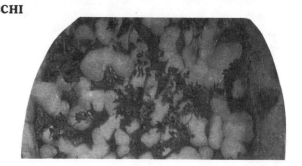

La pizza

La cucina italiana è rinomata in tutto il mondo. Anche la pizza è ormai un cibo internazionale. Ora, però, si va sempre in cerca di novità. Ed ecco che «nasce» la pizza fatta di fiori profumati di stagione.

In quanto alla pasta, l'annuncio pubblicizza un «gusto assolutamente nuovo».

Rispondi alle domande.

1. Ti piace la pizza?

2. Quale tipo di pizza preferisci: Margherita? Ai funghi? Napoletana? Siciliana? Al prosciutto? Altri tipi?

3. Compri le pizze congelate o preferisci comprarle in una pizzeria? Spiega.

4. Quali sono gli ingredienti necessari per fare una buona pizza?

5. Quale bibita preferisci quando mangi la pizza?

6. Credi che la pizza fatta di fiori profumati sia una vera trovata per far colpo sugli amici? Giustifica la tua risposta.

7. Qual è «uno dei grandi piaceri della tavola italiana»?

8. Spiega la frase: «[La pasta] si sposa a meraviglia con i grandi sapori dei condimenti».

9. Secondo l'annuncio pubblicitario di «Misura», che cosa coniuga il gusto della buona tavola con il gusto di star bene?

10. Mangi spesso la pasta? Fai la pasta in casa o la compri al supermercato?

11. Esiste una Società [Ordine dei Cavalieri dei vini nobili] che abbina il cibo al vino e non il vino al cibo. Spiega la differenza. Sei d'accordo con questa idea?

Tavola allegra

dal nostro inviato

"LA VERA dieta non è quella che fa dimagrire ma è quella che non fa ingrassare e favorisce una buona salute". Questa frase del professor Cesare Sirtori, consulente scientifico del "Centro benessere", la scopro appena arrivo sfogliando un opuscolo pieno di consigli. E la ritrovo, tradotta in pratica, quando mi metto a tavola: un servizio raffinato e un'atmosfera, in sala da pranzo, da normale ristorante (anche se di classe), non c'è il clima da clinica della salute, così deprimente in alcuni "santuari dell'eterna giovinezza" che ho visitato all'estero. «Perché la dieta—dice il prof. Sirtori—è una delle chiavi per una vita lunga e giovane». Il segreto principale, qui a Stresa, è la dieta equilibrata, con preferenza per i prodotti naturali. Si possono ricavare consigli preziosi. Eccoli.

Al mattino: consumare un pasto mediamente abbondante, scegliendo fra frutta, latte magro pastorizzato, yoghurt magro, cereali integrali, fiocchi di cereali, grani germogliati, pane integrale.

A pranzo: mangiare in successione verdure crude, un piatto di proteine (carne o pesce mai più di 2-3 volte alla settimana, uova o formaggi mai più di 1-2 volte alla settimana, senza assumere nello stesso pasto carne o pesce con uova o formaggi), verdure al vapore o lessate o alla griglia.

A cena: mangiare in successione verdure crude, un piatto di carboidrati (pasta, riso, minestre, patate, legumi), verdure cotte al vapore o alla griglia.

E poi tenere a mente queste poche regole: mangiare la frutta lontano dai pasti; ridurre il più possibile l'uso di zuccheri raffinati, di grassi animali (lardo, burro, formaggi, uova, carni grasse ecc.), del sale raffinato; bere poca acqua o birra o vino ai pasti e molta acqua nell'arco della giornata (un litro circa); bere mai più di due caffè o tè al giorno, non zuccherati; ridurre il più possibile l'uso di alcool fuori dei pasti; usare olio di oliva; favorire cibi ricchi di fibre: si trovano, in ordine crescente nelle verdure con foglie, verdure da radici, legumi, frutta secca, cereali integrali, crusca del grano.

L.R.

A. Rispondi a queste domande sull'articolo Tavola allegra.

1. Descrivi un pranzo all'italiana.

2. A seconda l'annuncio del molino e pastificio «F. lli De Cecco di Filippo», come devono essere fatti i maccheroni per avere un sapore squisito?

3. Il prof. Sirtori dice: «La dieta è una delle chiavi per una vita lunga e giovane». Sei d'accordo con questo giudizio? Spiega.

4. Cosa consiglia di consumare al mattino?

5. Cosa consiglia di mangiare a pranzo?

6. E a cena, cosa consiglia di mangiare il prof. Sirtori?

7. Quali altre regole consiglia di osservare?

8. Cosa consiglia di ridurre il più possibile?

B. Pensaci un po'.

1. Ti piace mangiare nei ristoranti?

2. Vai spesso a mangiare nei ristoranti?

3. Ti piace la cucina italiana?

4. Ti piace stare a dieta?

5. Quali cibi o bibite non si devono prendere quando si sta a dieta?

6. Mangi spesso dei maccheroni?

7. Come ti piacciono i maccheroni: Alla bolognese? Alla puttanesca? Al sugo? All'aglio ed olio? Alla marinara?

8. Spiega il termine: *spaghetti al dente.*

C. Rispondi a queste domande sui i ristoranti pubblicizzati negli annunci.

1. Quale ristorante offre l'aria condizionata?

2. Quale specialità offre il ristorante «La Pavona»?

3. Quale ristorante si vanta di una magnifica veduta?

4. Quale ristorante rimane chiuso la domenica?

5. In quale ristorante si può mangiare all'aperto?

Non so voi, ma io bevo Aperol.

Vivi il momento dell'aperitivo con l'aperitivo del momento.

Uno stile di vita inconfondibile: questo è Aperol.

Si può gustare shakerato, on the rocks, long drink con spremute di frutta: l'importante è che sia Aperol.

Per trasformare l'aperitivo da momento di routine a momento di vita vissuta.

SORPRESE PER IL PALATO

■ ■ ■ ■ ■ ■ ■ ■ ■ ■ ■ ■ ■ ■ ■ ■ ■ ■ ■

PROSCIUTTO!

VINO
rosso
bianco
rosato
spumante

PANE
di casa
integrale

PASTA
linguine
cavatelli
spaghetti
capelli d'angelo
ziti
penne
rigatoni
fusilli

GUSTARE

MANGIARE

BERE

PIZZA
ai funghetti
margherita
alla napoletana
siciliana

CAFFÈ
espresso
basso
lungo
macchiato
cappuccino

ACQUA MINERALE
gassata
naturale

PRIMA
l'aperitivo

DOPO
il digestivo

A. Guarda gli annunci pubblicitari delle pagine precedenti. Quali osservazioni si possono fare sullo stile di vita italiano?

B. Rispondi alle domande sugli apertivi.

In Italia, l'uso dell'aperitivo è tradizionale. L'aperitivo è un liquore che desta (apre) l'appetito.

1. Come si può gustare l'aperitivo?

2. Quando si gusta l'aperitivo, prima o dopo mangiare? Spiega.

3. Quale prodotto vuole pubblicizzare l'annuncio?

4. Hai mai assaggiato un aperitivo?

5. Spiega il senso di *Vivi il momento dell'aperitivo.*

6. Quando si prende il digestivo?

7. *D.O.C.* e *D.O.C.G.* rappresentano delle sigle stampate sulle etichette delle bottiglie di vino. Esse significano rispettivamente: **D**enominazione *di* **O**rigine **C**ontrollata, e **D**enominazione *di* **O**rigine **C**ontrollata e **G**arantita. Sai quale ne sia l'importanza?

8. Che effetto ti fanno le tre persone che prendono l'aperitivo?

9. Descrivi l'immagine pubblicitaria (la sociabilità entro amici, la serietà o il sorriso sul viso dei tre, l'atteggiamento delle tre persone, ecc.).

10. Immagina il dialogo dei tre personaggi prima di prendere (o mentre prendono) l'aperitivo.

SCALETTA DELLA FRUTTA di Nello Gemignani

■ ■ ■ ■ ■ ■ ■ ■ ■ ■ ■ ■ ■ ■ ■ ■ ■ ■

Alla ricerca di nomi. Ecco il nome di 13 tipi di frutta:

mandorla arancia fragola noce fico uva mandarino

albicocca susina pesca ribes ciliegia banana

Ed ecco 13 locuzioni che descrivono la frutta. Metti il nome del frutto nell'apposito spazio. (Vedi la soluzione a piè di pagina.)

1. Piccolo agrume
2. Color dell'arancia
3. Dura ad aprirsi
4. Rossa e succosa
5. La regina degli agrumi
6. Pendula e rossa su una piccola pianta
7. Buona anche secca
8. Viene dall'America Centrale
9. Cambiando un accento diventa occupazione della gente rivierasca
10. A grappoli rossi
11. Con guscio legnoso
12. Dolce frutto autunnale
13. Serve anche per fare una nota bevanda

56

I GIALLI

Ecco un piccolo racconto «giallo». Leggilo con attenzione. Rileggilo una seconda volta dopo aver studiato
la definizione di alcune parole elencate nel margine.
Poi rispondi alle domande.

IL COMMISSARIO MARALDO

UNA GIORNATA PESANTE

Era stata una giornata vera-mente pesante. «Posto che ce ne siano di leggere», si disse da solo il commissario Maraldo, mentre a passo lento attraversava il cortile per andare a prendere l'auto di servizio con la quale doveva recarsi in ospedale da Sergio Beltrami, appartenente alla ricchissima famiglia di industriali e finanzieri. Il giovane aveva subito un'aggressione per strada, dalla quale solo per una circostanza fortuita era uscito gravemente ferito ma vivo. Infatti il suo aggressore aveva rinunciato a colpire una seconda volta, perché era scappato, spaventato dalla sirena di una Pantera della polizia che stava sopraggiungendo. Così non aveva potuto sferrare il colpo di grazia e Sergio Beltrami se l'era cavata.

Il giovane raccontò al commissario come si erano svolti i fatti: «Stavo camminando per strada, una strada piuttosto buia e scarsamente frequentata, che percorro sempre al mio rientro dalla palestra, quando improvvisamente sono stato aggredito alle spalle.

Qualcuno, mentre mi teneva bloccata la bocca con la mano per impedirmi di urlare, ha cercato di uccidermi pugnalandomi al fianco sinistro.

«Improvvisamente nell'aria si è udito il suono lacerante di una sirena, forse un'ambulanza, forse un'auto della polizia. Il mio aggressore ha avuto un attimo di esitazione, poi si è spaventato ed è fuggito, senza che io potessi riconoscerlo».

Maraldo gli domandò se aveva dei sospetti, se c'era qualcuno che poteva trarre dei vantaggi dalla sua morte. Beltrami dichiarò che poteva essere esclusivamente suo cugino Gianandrea, per ereditare da solo l'immenso impero dei Beltrami.

Maraldo trovò l'altro rampollo in un esclusivo club privato, dove stava tirando di scherma con stile impeccabile. Non volle interromperlo: la sfida si concluse con una magistrale stoccata di sinistro del giovane, che mise fuori combatti-mento l'avversario.

Anche Gianandrea fu gentilissimo e compito col commissario. Negò, naturalmente, di avere alcuna responsabilità nell'aggressione al cugino, con il quale peraltro ammise di essere in pessimi rapporti («ma non avere simpatia per una persona non significa necessariamente desiderarne, o, ancora peggio, tentare di procurarne la morte»). Affermò inoltre che al momento dell'attentato non si trovava neppure in città: era nella sua villa sul lago, ed era rientrato a notte tarda. Poi chiese il permesso di congedarsi.

Maraldo glielo concesse. Mentre lo osservava attraversare la palestra pensò tra sé: «Vai pure a fare la doccia, caro amico. Penso comunque che l'attentatore sia proprio tu. Se riuscirò a provarlo, chissà se riuscirai a mantenerti in forma anche in carcere...».

QUALE PARTICOLARE CONFERMA AL COMMISSARIO MARALDO I SOSPETTI SUL CUGINO DELLA VITTIMA?

---

recarsi	andare
subito	sofferto
fortuito	per caso
colpire	dar colpi
spaventato	pieno di paura
sopraggiungendo	arrivando
palestra	luogo per gli esercizi di ginnastica
urlare	gridare
pugnalando	dando colpi di pugnale
trarre	ottenere
rampollo	figliuolo, discendente
scherma	arte di battersi con la spada (fioretto)
stoccata	colpo di spada
attentato	tentativo criminoso

Soluzione: Sergio Beltrami ha affermato di essere stato aggredito alle spalle da una persona che lo ha colpito al fianco sinistro. Il suo aggressore, quindi, non può essere che mancino. Il commissario Maraldo, quando vede Gianandrea Beltrami salire in pedana per concludere un incontro di scherma dopo il colloquio con lui, si accorge che è mancino. E questo particolare conferma i sospetti.

IL COMMISSARIO MARALDO

A. Rispondi alle domande.

1. Spiega il senso del titolo: *Una giornata pesante*.

2. Dove andava il commissario Maraldo?

3. Come camminava?

4. Descrivi la famiglia Beltrami.

5. Chi aveva subito un'aggressione per strada?

6. Come se l'era cavata dall'aggressione?

7. Quanti colpi ha sparato l'aggressore?

8. Perché l'aggressore ha rinunciato a colpire una seconda volta?

9. Perché era scappato tutto spaventato l'aggressore?

10. È riuscito l'aggressore a sparare il colpo di grazia?

11. Com'era la strada dove il giovane stava camminando?

12. Di dove veniva Sergio Beltrami quando è stato aggredito?

13. Perché gli teneva bloccata la bocca?

14. Come ha cercato di ucciderlo?

15. Cosa si è sentito nell'aria?

16. Ha riconosciuto il suo aggressore Sergio?

17. Chi sospetta Sergio poter trarre dei vantaggi dalla sua morte? Perché?

18. Dove trovò l'altro rampollo il commissario? Che stava facendo?

19. Come si conclude la sfida?

20. Come si è comportato Gianandrea con il commissario?

21. Che cosa negò Gianandrea?

22. Erano di ottimi rapporti i due cugini?

23. Dove si trovava Gianandrea al momento dell'attentato?

24. Cosa pensò tra sé il commissario?

25. Prima di guardare la soluzione del «giallo», prova di indovinare quale particolare conferma al commissario i sospetti sul cugino della vittima.

B. Pensaci un po'.

1. Ti piacciono i «gialli»? Li leggi spesso?

2. Ne parlano spesso i giornali del tuo paese delle aggressioni?

3. Ti piace o non ti piace guardare programmi televisivi che drammatizzano furti, aggressioni e sequestri di persone? Spiega la tua risposta.

4. Ti piacerebbe fare il poliziotto o il detective? Perché?

5. Che ne pensi delle leggi in vigore che puniscono questo genere di reato? Spiega.

6. Quale pena o multa daresti tu agli aggreditori? Ai sequestratori di persone? A coloro che commettono reati?

C. Antonimi

Trova nella colonna B l'opposto (l'antonimo) della parola nella colonna A.

	A		B
1.	pesante	a.	fallire
2.	a passo lento	b.	illuminata
3.	recarsi	c.	andare
4.	fortuita	d.	leggero
5.	cavarsela	e.	alla svelta
6.	buia	f.	ottimi
7.	compito	g.	accogliere
8.	negare	h.	di proposito
9.	pessimi	i.	ammettere
10.	congedare	j.	scortese

Il mistero di una telefonata complica il giallo dell'imprenditore sparito

☐ Era uscito dall'ufficio alle 18,30 forse per andare ad un appuntamento. Ha lasciato l'auto a Pontelucano e si è allontanato a piedi. Inutile battuta sulle sponde dell'Aniene. Tutte le ipotesi

di RAFFAELE ALLIEGRO

Che fine ha fatto Luigi Rotondi? L'imprenditore edile di 46 anni scomparso misteriosamente lunedì sera tra Tivoli e Villanova di Guidonia non ha lasciato tracce. Per ritrovarlo non è servita neppure la battuta organizzata ieri mattina da polizia e carabinieri. E nessuna ipotesi ha preso finora il sopravvento sulle altre. Rotondi è stato ucciso o rapito? E' fuggito di casa, si è ucciso o ha avuto un malore? E soprattutto, aveva davvero un appuntamento nella piazzetta di Pontelucano dove è stata ritrovata la sua auto? Gli inquirenti non si sbilanciano, non hanno ancora elementi per farlo. E ripetono: tutte le ipotesi sono ancora valide. Si è riusciti però a ricostruire gli ultimi movimenti dell'imprenditore.

Sono le 18,30 di lunedì scorso. Luigi Rotondi sta lavorando nel suo ufficio di via Palmiro Togliatti, quando riceve una telefonata. Dopo aver parlato per un po', esce e va via con la sua Alfa 164. Alle 19 è già a Pontelucano, un quartiere ai piedi di Tivoli che costeggia l'Aniene, a un tiro di schioppo da Villanova di Guidonia dove l'imprenditore vive con la famiglia. Blocca l'auto davanti a un bar, scende, si ferma accanto all'auto, fuma una sigaretta. Poi entra nel bar e chiede: «Posso lasciare la macchina qui fuori per una ventina di minuti?». Quindi esce, chiude l'auto senza prendere la giacca, si allontana e scompare. Nella notte tra lunedì e martedì due ladruncoli cercano di rubare l'Alfa 164 rimasta ferma a Pontelucano. Gli agenti, richiamati dall'allarme, risalgono al proprietario e informano i familiari di Rotondi. Da quel momento, visto che l'uomo non è tornato a casa, scattano le ricerche.

Ieri mattina un centinaio di uomini, tra poliziotti e carabinieri, hanno perlustrato le sponde dell'Aniene e le campagne circostanti con l'aiuto di un elicottero e dei cani. Una squadra di sommozzatori dei vigili del fuoco si è immersa nel fiume alla ricerca del corpo dell'uomo. Ma la battuta non ha avuto successo.

Certo, assicurano gli investigatori del commissariato di Tivoli, anche se tutte le ipotesi sono ancora valide l'attività di Rotondi non era tanto florida da giustificare un sequestro di persona. E il suo carattere non sembrava proprio quello di un possibile suicida. Ha deciso di andarsene di casa? Ma perché, allora, avrebbe abbandonato l'auto a Pontelucano? Rimangono due piste. Quella del malore improvviso, a pochi passi dall'Aniene: ma il suo corpo non è stato ritrovato. E quella dell'omicidio. La telefonata delle 18,30 è forse servita a fissare un appuntamento? Luigi Rotondi è stato ucciso dopo un drammatico colloquio con qualcuno che conosceva? Gli investigatori non lo escludono. Ma non risulta che l'uomo sia stato minacciato, né che abbia ricevuto richieste di tangenti. E comunque anche questa è un'ipotesi come le altre.

Un uomo di carattere forte, ma allegro e buono, dicono quelli che lo conoscono. Sposato, con tre figli, lavora soltanto nei suoi cantieri romani, a Tivoli non era molto conosciuto. Sembra che negli ultimi tempi le sue condizioni economiche non fossero particolarmente felici. Niente di molto grave comunque, assicurano gli inquirenti, niente che lui non fosse convinto di poter superare.

Forse ucciso per gelosia

di LUIGI PASQUINELLI

Non ci sono più dubbi. Il corpo trovato l'altra notte a Valle Marra, nelle campagne che circondano Tivoli, appartiene a Luigi Rotondi, l'imprenditore edile di 46 anni, scomparso nel nulla lunedì scorso. L'identificazione del cadavere, reso irriconoscibile dallo stato di decomposizione e da ferite al volto, è stata fatta dal fratello minore e socio dell'uomo d'affari: Bruno Rotondi ha riconosciuto il congiunto da un callo che la vittima aveva sul dito di un piede e dall'abbigliamento.

Gli investigatori hanno accertato che Luigi Rotondi è stato pesantemente colpito con un corpo contundente al mento. E' ancora da accertare se l'uomo abbia ferite d'arma da fuoco. Le modalità della morte verranno stabilite dall'autopsia ma sembra che il decesso risalga proprio a lunedì, giorno della scomparsa. Rimane il fatto che vicino al cadavere sono stati trovati due bossoli e

un proiettile inesploso. Sul movente, i carabinieri stanno vagliando tutte le ipotesi. Ma sembra che la pista dell'omicidio per gelosia sia la più plausibile. Luigi Rotondi, infatti, sposato e con tre figli, ogni tanto si concedeva qualche «scappatella».

Nella palazzina di via Garibaldi a Villanova di Guidonia, dove la vittima abitava da 40 anni, c'è un viavai di persone. Al terzo piano, nel suo appartamento attiguo a quello di Luigi Rotondi, il fratello Bruno affronta la processione di parenti e amici venuti ad esprimere le condoglianze. Per tutta la settimana Bruno, insieme a qualche altro familiare, ha battuto le campagne intorno a Tivoli, in cerca dello scomparso. L'altra notte è stato portato dai carabinieri a Valle Marra, a pochi chilometri da San Gregorio da Sassola, dove il cadavere è stato ritrovato, gettato dentro a un fosso.

«Era meglio se non ci fossi andato», si sfoga a voce bassa, lo sguardo assente, Bruno Rotondi. «Quel corpo era irriconoscibile e in principio pensavo che non si trattasse di mio fratello. Ma ad un esame più attento ho riconosciuto un callo al dito del piede che Luigi si era procurato la settimana scorsa, durante una gita. Ero con lui e dovetti accompagnarlo ad un pronto soccorso per medicare la ferita. Non so spiegarmi le ragioni di questo dramma. Mio fratello non si confidava molto con la famiglia. Credo che parlasse di più con i suoi amici».

La denuncia della scomparsa di Luigi Rotondi è stata fatta martedì mattina, dopo che i carabinieri avevano telefonato alla famiglia per segnalare di aver trovato la macchina dell'imprenditore, parcheggiata a Tivoli, con il vetro in frantumi. «Non avevamo denunciato il mancato rientro a casa di Luigi — riprende Bruno Rotondi —

perché era già capitato che rimanesse fuori a dormire. Ogni tanto si concedeva qualche avventura. Ci siamo preoccupati quando abbiamo saputo della macchina, abbandonata con le chiavi dentro. Luigi non se ne separava mai».

L'imprenditore, originario di Frosinone, aveva un cantiere edile a Lunghezza e un ufficio a Roma, sulla Palmiro Togliatti. Lavorava con il fratello Bruno, uno zio, e un geometra. Il giorno della scomparsa, esattamente una settimana fa, l'uomo ricevette, intorno alle 18,30, una telefonata nel suo ufficio. La segretaria rispose e chiese chi era all'altro capo del filo. «Sono Franco — fu la risposta —, c'è Luigi?» Dopo aver parlato con questo Franco, Luigi Rotondi chiese al geometra, presente in ufficio, se c'erano problemi di lavoro in sospeso. Ottenuta risposta negativa, con la sua Alfa 164 andò fino a Tivoli, sul bordo dell'Aniene, dove

I carabinieri seguono la pista dell'omicidio passionale. Rotondi, 46 anni, sposato, tre figli, sembra si concedesse alcune «scappatelle». Il riconoscimento grazie a un callo del piede

Luigi Rotondi, scomparso lunedì scorso, è stato violentemente colpito alla testa

il corpo ritrovato a Tivoli E' dell'imprenditore sparito

Luigi Rotondi con una nipote

na di minuti la macchina fuori dal locale.

Chi lo conosceva descrive Rotondi come un uomo allegro, tranquillo, che amava molto chiacchierare con gli amici e che spesso rimaneva fino a tardi in ufficio. «Non ho mai saputo—confida il fratello Bruno—che Luigi avesse ricevuto minacce o cose del genere. L'unico particolare che mi ha lasciato un po' perplesso è il fatto che Luigi, circa un mese fa, prelevò, con un assegno, 30 milioni dalla banca. Soldi di cui la famiglia non sapeva nulla. Io l'ho scoperto l'altro giorno, guardando i conti della ditta. Vorrei scoprire che fine ha fatto questa somma».

La signora Rotondi ha saputo della morte del marito ieri mattina. La coppia era sposata da circa 20 anni. Anche i figli sono a conoscenza della fine del loro padre: due femmine, una di quindici anni e una di sette, e un maschio di dodici. Tra pochi giorni la famiglia sarebbe partita,

come ogni anno, verso la casa di Marzia, vicino ad Avezzano, per le vacanze estive.

Oltre a questa casa la famiglia Rotondi ne possiede un'altra sul litorale, vicino a Roma. Erano dunque benestanti, anche se sembra che gli affari non andassero troppo bene negli ultimi tempi. Questo particolare aveva già reso poco credibile agli investigatori la pista del sequestro di persona a scopo di estorsione. E il ritrovamento del corpo, la cui morte risalirebbe al giorno della scomparsa, esclude questa ipotesi. Non si è trattato di malore né di suicidio, altrimenti si sarebbe trovata la pistola che ha sparato. Dunque non rimane che il regolamento di conti: questione di soldi o questione di donne. Non risulta che Rotondi avesse debiti e comunque raramente si uccide un debitore. In piedi rimane la pista degli affari di cuore. I carabinieri hanno ascoltato molti testimoni. In particolare hanno trattenuto a lungo il titolare del bar di via Garibaldi, quasi di fronte alla palazzina dei Rotondi, che era un grande amico dell'ucciso. Forse a lui l'imprenditore edile aveva confidato qualche sua paura o qualche trasgressione.

forse, senza immaginarlo, aveva fissato un appuntamento con il suo assassino. L'ultimo a vedere Luigi Rotondi vivo è stato un barista a cui l'imprenditore aveva chiesto di poter parcheggiare per una deci-

Parole utili

giallo	storia di agenti di polizia, «detective»
imprenditore	chi assume lavoro per altri con compenso pattuito
battuta	percorso
Aniene	fiume
edile	costruttore di edifici
sopravvento	arrivo
rapito	portato via a forza
contundente	che cagiona contusione
schioppo	fucile da caccia
scomparsa	sparizione
geometra	misuratore di terreno
perlustrato	girato per vigilare, scoperto
sommozzatori	nuotatori subacqueo
piste	indizi, tracce
tangenti	punti di contatto con una autostrada; qui vuol dire mazzette, doni illegali
cantieri	luoghi di lavoro per costruzioni (edifici, strade)
bossoli	cartucce

A. Rispondi alle domande.

1. Quando è scomparso l'imprenditore?

2. Come è scomparso?

3. Chi ha organizzato la battuta?

4. Quali sono alcune delle ipotesi sulla scomparsa dell'imprenditore? Spiega.

5. C'è una ipotesi più valida delle altre?

6. A che ora e in quale giorno ha ricevuto un colpo di telefono Luigi Rotondo?

7. Cosa fa dopo aver parlato un po'al telefono?

8. Dove abitava la vittima? Da quanto tempo?

9. Con chi abitava il signor Rotondi?

10. Cosa ha fatto dopo aver parcheggiato la macchina?

11. Che cosa lascia nella macchina?

12. Chi cerca di rubare la macchina?

13. Quando cominciano le ricerche?

14. Chi ha aiutato i poliziotti e i carabinieri a perlustrare le sponde dell'Aniene?

15. Chi si è immerso nel fiume?

16. Secondo gli investigatori, il signor Rotondi si è ucciso?

17. Quali piste non sono ancora escluse dagli investigatori?

18. Descrivi l'imprenditore edile.

19. Era ricco lo scomparso? Spiega la tua risposta.

20. Quali ipotesi restano ancora?

B. Leggi le seguenti locuzioni, poi racconta la storia a modo tuo.

- Luigi Rotondi è stato trovato morto in una zona di campagna.
- Il ritrovamento è avvenuto in coincidenza con le battute delle forze.
- I carabinieri ritengono che la morte sia avvenuta cinque giorni fa.
- Le condizioni del cadavere e, in particolare quelle del viso, che è stato sfigurato dagli animali selvatici, hanno permesso di stabilire se ci siano anche ferite di colpi di armi da fuoco.

- I carabinieri cercano una spiegazione del delitto nell'attività dell'imprenditore che in quest'ultimi tempi aveva grosse difficoltà finanziarie.
- Non viene esclusa la pista sentimentale. Gelosia?
- L'ipotesi di un sequestro per il quale era stato chiesto un riscatto di 500 milioni non si deve escludere.

URBINO
CITTÀ IDEALE DEL RINASCIMENTO
(ITALIA)

Situata su un verde promontorio, URBINO, città d'arte, è luogo idoneo per il clima, per lo spazioso panorama di colline a forma geometrica, per i bei colori e per l'infinita serenità.

Collegata ai più importanti centri di comunicazione, URBINO offre la possibilità di visitare, entro poche ore, varie città d'interesse storico e turistico, e in breve tempo di scendere alle spiagge adriatiche: Rimini, Pesaro, Fano, Cattolica.

Marche

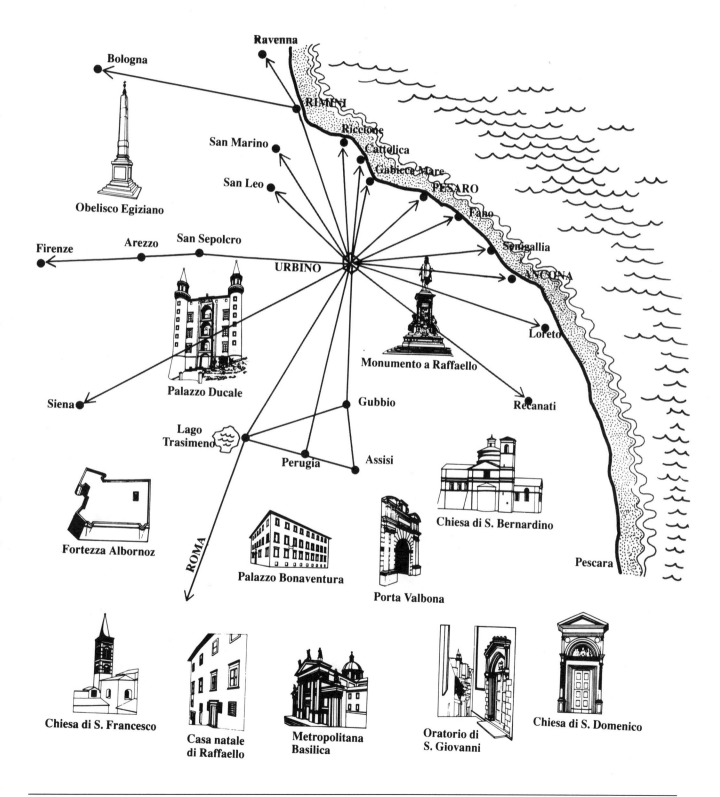

Ravenna

Bologna

Obelisco Egiziano

RIMINI

Riccione

San Marino

Cattolica

San Leo

Gabicce Mare

PESARO

Fano

Firenze   Arezzo   San Sepolcro

URBINO

Senigallia

ANCONA

Loreto

Palazzo Ducale

Monumento a Raffaello

Siena

Recanati

Gubbio

Lago Trasimeno

Perugia   Assisi

Chiesa di S. Bernardino

Fortezza Albornoz

ROMA

Palazzo Bonaventura

Porta Valbona

Pescara

Chiesa di S. Francesco

Casa natale di Raffaello

Metropolitana Basilica

Oratorio di S. Giovanni

Chiesa di S. Domenico

Quando Federigo da Montefeltro cercò di sedurre le Muse

Tratto da un articolo di
CARLO BO

Il Palazzo Ducale di Urbino.

Urbino ha un cielo particolare, lo avverte subito chi sta per salire al monte e entrare in città. Al cielo corrisponde l'aria, l'anima stessa del paese. Per essere più precisi, ci sono diverse vie d'accesso; la storica che partendo da Urbania a un certo punto ci mette di fronte al miracolo del **Palazzo Ducale**, una ancora più antica, era detta Ducale, che corre sulle colline e infine quella che viene da Pesaro e oggi è la più battuta e anche la più nota. Comunque, il punto di riferimento resta il **Palazzo Ducale**. Del resto, quando si dice Urbino, viene naturale pensare o a Raffaello o al Palazzo. Ecco perché il viaggiatore finisce per fare della sua visita una ragione storica, una verifica. . . .

Bisogna girare la città senza un ordine prestabilito, cominciando per esempio dalla **fortezza dell'Albornoz** che sta su una delle due colline che formano la città, passando poi alla conoscenza delle mura: per rispettare la definizione locale, scendere dal **Giro dei Debitori** per arrivare ai piedi della **chiesa dei cappuccini**, luogo quanto mai poetico e ben conosciuto da chi ha letto «L'aquilone» del Pascoli. . . .

Si pensa e si dice che per visitare Urbino basti un giorno, ma non è vero, soltanto il Palazzo esige diverse ore di sosta. . . .

Lo so, è stato un miracolo di pochi anni ma è rimasto come un simbolo, se non come il simbolo del Rinascimento e della vittoria dell'Umanesimo. Per il resto, il visitatore non ha che da sostare davanti alle opere d'arte che sono state più tardi raccolte nel nome del Signore che le aveva ordinate. . . . Non per nulla Federigo da Montefeltro aveva cercato di fare della sua casa la dimora delle Muse: lo fece chiamando intorno a sé gli uomini e gli artisti migliori del suo tempo, lo fece cercando di identificare un sogno di bellezza con la potenza e la ricchezza. . . .

Quasi di fronte al Palazzo Ducale c'è **l'oratorio di**

URBINO

UGO GUARINO

CORRIERE DELLA SERA
Mercoledì 12 luglio 1989

San Giovanni con gli affreschi dei fratelli Salimbeni e poi un numero alto di chiese, tutte segnate da un tratto comune di bellezza. . . .

C'è stata, come in altre città delle Marche, una sostituzione ma questa di Urbino ha in buona misura rispettato la prima ragione dell'Umanesimo. A quello delle campagne abbandonate è subentrato il mondo della scuola. Per esempio l'università ha cercato—grazie all'opera straordinaria dell'architetto Giancarlo De Carlo—di innestare su vecchi tronchi la vita nuova. . . . De Carlo ha inteso per primo che per salvare Urbino non si doveva tradire la sua vera fisionomia, al contrario bisognava saldare in un'unica vocazione il deposito illustre del passato e le aspirazioni della nuova cultura.

A noi sembra che il progetto sia riuscito, senza tradire quello che è lo spirito non solo della civiltà urbinate ma anche del paesaggio, di quel paesaggio che ritroviamo fissato per l'eternità da Piero della Francesca. . . . Urbino è stata cantata da molti, in tempi non lontani da Cardarelli e in tempi più vicini a noi dallo scrittore Paolo Volponi che ha saputo penetrare fino in fondo nel cuore della sua città, di questa—ripetiamolo ancora una volta—città dell'anima.

Ritratto di Federigo II, Duca di Montefeltro, col figlio Guidobaldo. Pannello di Pedro Berruguete. Nel quadro si vede il Duca vestito in divisa militare e anche l'uomo di lettere.

Madonna di Senigallia di Piero della Francesca. È da notare la ricchezza dei colori e l'intensità spirituale della Madonna che sembrano esprimere la delicatezza dei sentimenti.

Collegi Universitari

Rispondi alle domande.

1. Che cosa avverte subito il turista che sale al monte?

2. Qual è la strada la più frequentata e la più nota?

3. Qual è il punto di riferimento della città?

4. In che modo si dovrebbe girare la città?

5. Quante colline formano la città?

6. Cosa dice l'autore dell'articolo a proposito della chiesa dei cappuccini?

7. Secondo l'articolo, basta un solo giorno per visitare Urbino?

8. Che cosa sa lo scrittore del Palazzo ducale?

9. Che cosa aveva cercato di fare il Duca Federigo da Montefeltro?

10. Spiega l'importanza dell'oratorio di San Giovanni.

11. Chi è l'architetto dei collegi universitari?

12. Secondo De Carlo, che cosa si doveva fare per salvare Urbino?

13. In Urbino c'è una statua di bronzo del grande artista Raffaello. Quale altro artista gode di fama in Urbino?

14. L'articolo menziona l'*Umanesimo*. Che cosa sai di questo movimento culturale dei secoli XIV e XV?

15. Quando visiti una città, quali luoghi d'interesse turistico ti piace vedere? Spiega.

Leggi l'informativo articolo di Carlo Bo, rettore dell'Università, e il suo invito a seguire un itinerario che rivela le bellezze e le ricchezze di Urbino: Palazzo Ducale, Fortezza d'Albornoz, il Mercatale e la portamaggiore Valbona, i collegi universitari, la Casa di Raffaello, la chiesa di San Bernardino e tanti altri luoghi. Bada, però, che l'autore, gran conoscitore di questa città del Rinascimento, si rivolge ai «viaggiatori illuminati, ai visitatori preparati . . . »

DA RICORDARE

I grandi artisti e architetti: Raffaello, Luciano Laurana, Piero della Francesca, Francesco di Giorgio Martini, e, non per ultimo, Gian Carlo De Carlo.

DA MANGIARE O DA BERE

Il riso ai quattro formaggi, la caciotta (formaggio) e i funghi porcini; i vini: Verdicchio da Jesi e il Bianchello del Metauro.

Ristorante «**Vecchia Urbino**»

DIVERTIMENTI

Teatri - Cinema - Dancings

Teatro Sanzio
Corso Garibaldi - Tel. 2281

Cinema Teatro Ducale
Via Budassi - Tel. 2413

Supercinema
Via T. Viti - Tel. 320051

Cinema Nuova Luce
Via Veterani

Discoteca «Club 83»
Via Nuova, 4 - Tel. 2512

MUSICA

Vari concerti, prevalentemente di musica rinascimentale e barocca, fanno di Urbino la capitale della musica antica. Il *Festival* offre un'apertura culturale ad altri paesi i cui gruppi giungono nel capoluogo feltresco. La *Festa Rinascimentale* conclude il *Festival* con cortei e cerimonie in costume, danze e musiche nel piazzale che fronteggia il Palazzo Ducale.

RISTORANTI—TRATTORIE—PIZZERIE

Ristorante Pizzeria «Europa»
Borgo Mercatale, 22 - Tel. 2826

Ristorante «Taverna La Fornarina»
Via Mazzini, 14 - Tel. 320007

Ristorante «Fosca»
Via Budassi, 64 - Tel. 2521

Ristorante Pizzeria «San Giovanni»
Via Barocci, 13 - Tel. 2286

Ristorante «La Meridiana»
Loc. Trasanni Km. 3
Via Cal Biancone, 54/A - Tel. 320169

Ristorante «Bramante»
Via Bramante, 54 - Tel. 2676

Ristorante «Da Bruno»
Via V. Veneto, 45 - Tel. 2598

Ristorante «Nuovo Coppiere»
Via Porta Maja, 20 - Tel. 320092

Ristorante «Il Cortegiano»
Via Puccinotti, 13 - Tel. 320307

Indirizzi utili

★ **Azienda di Soggiorno e Turismo**
Piazza Rinascimento, 1 - Tel. 26.13

[i] Azienda di Soggiorno e Turismo
Piazza Duca Federico, 35 - Tel. 24.41

DA COMPRARE

Articoli d'arte e ceramiche.

NOTA CULTURALE

A pochi chilometri da Urbino si trova la città di Gradara con il suo castello malatestiano che evoca l'amore di due amanti: Francesca da Rimini e Paolo Malatesta, cantato da Dante Alighieri nella *Divina Commedia* (*Inferno*, canto V). La tragedia di Paolo e Francesca—idillio «d'amor che a nullo amato amar perdona»—ha ispirato infinite opere d'artisti: dalla poesia al teatro, dalla pittura alla musica.

LE PIAZZE ITALIANE

■ ■ ■ ■ ■ ■ ■ ■ ■ ■ ■ ■ ■ ■ ■ ■ ■ ■ ■ ■

Le piazze italiane, come Piazza della Repubblica a Urbino, vista nella foto, rappresentano il ritmo sociale delle città. Di giorno, e specialmente di sera, fino a tarda notte, amici e turisti trascorrono delle ore a parlare di politica, di sport, della condizione umana e di tanti altri argomenti godendosi pace e tranquillità. I bar o caffè—ce ne sono tre in questa piazza—sempre alla disposizione dei clienti—agevolano una vita calma e senza fretta.

Rispondi alle domande.

1. Sei mai stato/a in Italia? Per quale occasione? Quando?

2. Ti piace andare al caffè? Perché? Di solito, cosa prendi?

3. Ti piace andare al caffè di giorno o di sera? Spiega.

4. Racconta uno dei tuoi ricordi della tua visita al caffè.

5. Quale differenza c'è fra un bar italiano e un bar nel tuo paese?

I proverbi riformati

Ecco 10 proverbi i quali vanno per le bocche di tutti e spesso servono di massima o di consigli. (Il senso di ogni proverbio si trova fra parentesi.) Osserva il riferimento ad animali.

Scegli fra le frasi proposte nella colonna B quella che completa la massima della colonna A per formare un proverbio.

Colonna A		Colonna B	
1. Non sapere	A.	e gallo tace	*(Non poter decidere cosa fare)*
2. In bocca	B.	un rospo	*(Formula di augurio a chi si espone a un pericolo)*
3. Non mettiamo il carro	C.	che una gallina domani	*(Fare o dire prima del tempo)*
4. Ingoiare	D.	per l'aia	*(Tollerare cosa noiosissima)*
5. Pigliar la lepre	E.	al lupo!	*(Tardar troppo)*
6. Stare come	F.	bere un uovo	*(Stare sul punto di azzuffarsi)*
7. Essere come	G.	cani e gatti	*(Facilissimo)*
8. Meglio un uovo oggi	H.	che pesci pigliare	*(Accontentarsi del poco ma sicuro)*
9. Triste quella casa dove gallina canta	I.	col carro	*(Dove la donna fa da padrona)*
10. Menar il can	J.	avanti ai buoi	*(Mandar le cose in lungo)*

Soluzioni: 1. H; 2. E; 3. J; 4. B; 5. I; 6. G; 7. F; 8. C; 9. A; 10. D

Altri proverbi popolari

Chi prima non pensa in ultimo sospira.

Chi tardi arriva male alloggia.

Non c'è rosa senza spine.

Dimmi con chi vai e ti dirò chi sei.

Chi altri giudica, sé condanna.

Chi cade in povertà perde l'amico.

Prima i denti e poi i parenti.

Peccato confessato è mezzo perdonato.

I veri amici si conoscono nel bisogno.

Rispondi alle domande.

1. Ti piacciono i proverbi? Perché?

2. Dai mai dei consigli usando dei proverbi?

3. Spiega il senso di ciascuno dei proverbi riportati qui sopra.

4. Quali proverbi inglesi corrispondono ai proverbi riportati qui sopra?

5. Hai mai sentito questo proverbio: *Chi dorme non piglia pesci?* Qual è il significato?

DOVE CORRI RAGAZZO?

Molti giovani italiani leggono fotoromanzi da cui traggono piaceri di riflesso. Ecco due pagine prese dal fotoromanzo «Charme». Il titolo della storia è *Dove* *corri ragazzo*? Il ragazzo si chiama Piero, e la ragazza si chiama Cristina.

A. Con un(a) partner, leggete le didascalie, fingendo di essere i personaggi che interpretano la sceneggiatura.

B. Rispondi alle domande

1. Chi aveva molte cose da dire a Piero? Perché non gliele ha dette?

2. È vero che Piero va cercando donne ricche da sfruttare? Giustifica la tua risposta.

3. Cosa vuol dire la parola *piantala*?

4. Perché Piero consiglia a Cristina di sposare Franco Vanz?

5. Come finisce la scena?

6. Hai mai letto dei fotoromanzi? In quale lingua?

7. Ti piacciono le storie d'amore? Perché?

8. Preferisci leggere fotoromanzi o fumetti?

9. Secondo te, chi legge i fotoromanzi?

10. In che modo possono influenzare la fantasia dei giovani i fotoromanzi?

C. Immagina il dialogo suggerito da ogni scena di questo fotoromanzo. Poi, coprendo le didascalie, inventa un dialogo che riassume la trama.

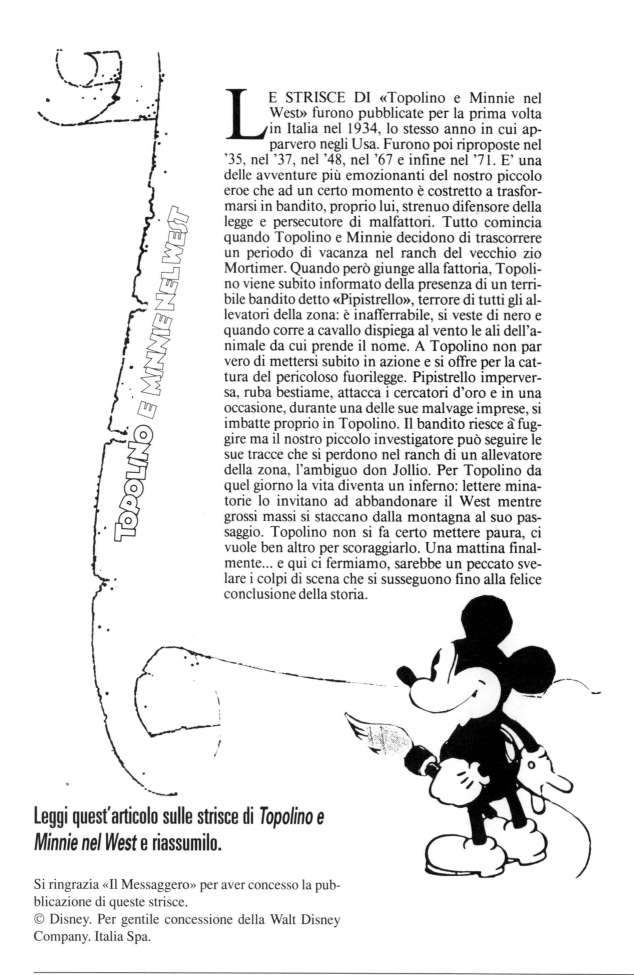

LE STRISCE DI «Topolino e Minnie nel West» furono pubblicate per la prima volta in Italia nel 1934, lo stesso anno in cui apparvero negli Usa. Furono poi riproposte nel '35, nel '37, nel '48, nel '67 e infine nel '71. E' una delle avventure più emozionanti del nostro piccolo eroe che ad un certo momento è costretto a trasformarsi in bandito, proprio lui, strenuo difensore della legge e persecutore di malfattori. Tutto comincia quando Topolino e Minnie decidono di trascorrere un periodo di vacanza nel ranch del vecchio zio Mortimer. Quando però giunge alla fattoria, Topolino viene subito informato della presenza di un terribile bandito detto «Pipistrello», terrore di tutti gli allevatori della zona: è inafferrabile, si veste di nero e quando corre a cavallo dispiega al vento le ali dell'animale da cui prende il nome. A Topolino non par vero di mettersi subito in azione e si offre per la cattura del pericoloso fuorilegge. Pipistrello imperversa, ruba bestiame, attacca i cercatori d'oro e in una occasione, durante una delle sue malvage imprese, si imbatte proprio in Topolino. Il bandito riesce a fuggire ma il nostro piccolo investigatore può seguire le sue tracce che si perdono nel ranch di un allevatore della zona, l'ambiguo don Jollio. Per Topolino da quel giorno la vita diventa un inferno: lettere minatorie lo invitano ad abbandonare il West mentre grossi massi si staccano dalla montagna al suo passaggio. Topolino non si fa certo mettere paura, ci vuole ben altro per scoraggiarlo. Una mattina finalmente... e qui ci fermiamo, sarebbe un peccato svelare i colpi di scena che si susseguono fino alla felice conclusione della storia.

Leggi quest'articolo sulle strisce di *Topolino e Minnie nel West* e riassumilo.

Si ringrazia «Il Messaggero» per aver concesso la pubblicazione di queste strisce.
© Disney. Per gentile concessione della Walt Disney Company. Italia Spa.

Il Messaggero

Ecco un episodio dalle avventure di *Topolino e Minnie nel West*. Il bandito è riuscito a fuggire, ma il nostro piccolo eroe segue le sue tracce e ....

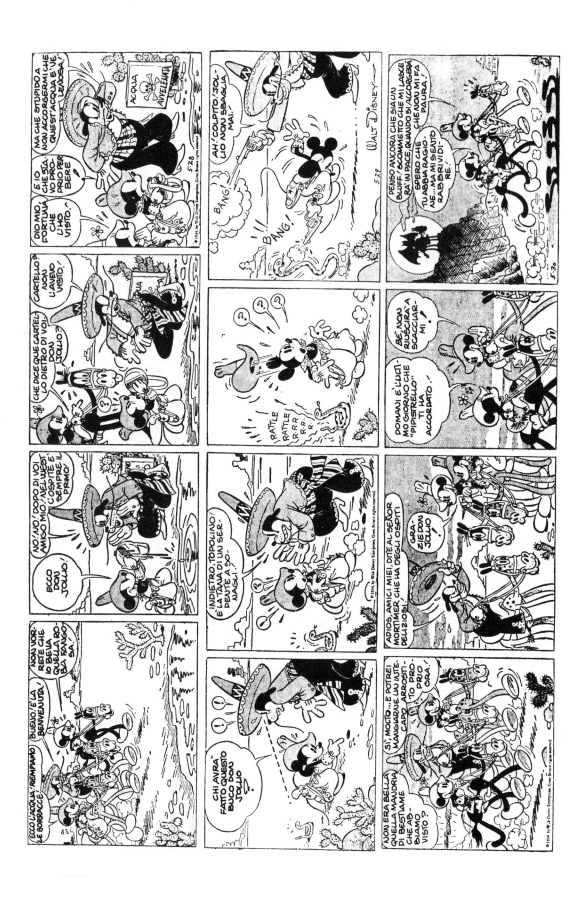

Rispondi alle domande.

1. Leggi tu dei fumetti? Che soddisfazione ci provi?

2. Di solito, chi legge fumetti: i ragazzi, gli adolescenti o gli adulti?

3. In Italia, si vendono molti giornali a fumetti. Ne compri tu di questi giornali? Spesso o di tanto in tanto?

4. Quando compri un quotidiano che dedica una sezione ai fumetti, quale parte del giornale leggi prima? Perché?

5. Perché si è avventurato in uno stretto sentiero Topolino?

6. Chi salva Topolino dal pericolo?

7. Cos'è un «pipistrello»?

8. Immagina come finirà l'avventura di Topolino che si offre per la cattura del pericoloso «Pipistrello».

Nota che le avventure del signor Bonaventura sono scritte in rima.

Rispondi alle domande.

1. Quale modo di trasporto adopera il signor Bonaventura?

2. Chi l'accompagna?

3. Perché va in campagna?

4. Barbariccia è un malvagio furfante. Che cosa fa?

5. Come provano di ritornare a casa i disgraziati?

6. Perché s'addormenta il conducente della macchina?

7. Dove sta per precipitare la macchina?

8. In qual modo viene ricompensato il bravo salvatore?

CORRIERE dei PICCOLI

1. Il signor Bonaventura
ottimista per natura
col figliolo in motoretta
vola come una saetta.

2. Va in campagna: in mezzo ai prati
fan merenda ora sdraiati.
Ma c'è un mostro di perfidia
che quel bene loro insidia.

3. Ecco infatti d'un motore
scoppia rapido il fragore:
con la bella motoretta
Barbariccia fugge in fretta.

4. Qui vediam che i disgraziati,
derubati ed appiedati,
se in città voglion tornare
l'autostop devono usare.

5. Grazie al ciel questo signore
è persona di buon cuore
e li ospita contento
sulla sua duemileccento.

6. Ma si vede che stremato
da un viaggio prolungato
piega il capo e in breve istante
s'addormenta sul volante.

7. Ma con man pronta e sicura
il signor Bonaventura
sul burrone — che paura!
ferma in tempo la vettura.

8. E scampato per un pelo
a chi sa quale sfacelo
il commosso guidatore
rende grazie al salvatore.

CANZONE DELLA VITA

■ ■ ■ ■ ■ ■ ■ ■ ■ ■ ■ ■ ■ ■ ■ ■

Si nasce, si cresce e s'invecchia

Leggi le parole della seguente canzone; poi commenta ogni tappa della vita: l'età, le gioie, i dolori, i problemi, le inquietudini, i trionfi e le sconfitte, ecc.

Qualcuno cammina

. . . e va . . . e va . . . e va

E già una manina

ti fa: "Son qua . . . son qua!"

. . . E sboccia da un giglio vermiglio

tuo figlio . . . Ma come? . . . Di già?!

. . . e il bimbo cammina . . .

. . . e va . . . e va . . . e va . . .

. . . Ginnasio . . . Liceo . . .

. . . poi l'università . . .

. . . e un giorno vuol dirti qualcosa:

si sposa . . . Di già?!

. . . Qualcuno cammina

in un giardin d'or:

un vecchio e un bambino

che giocano tra lor.*

Parole chiavi

la nascita	il battesimo	la comunione	la cresima	il fidanzamento	il matrimonio

Qualcuno cammina, parole di Nino Rastelli, musica di Nino Casiroli.

Pellicole cinematografiche Agfa:

La perfezione, scena dopo scena.
Molti film di successo sono stati girati in tutto il mondo con pellicole cinematografiche Agfa.

I prodotti Agfa fanno parte della vostra vita quotidiana.

In ogni momento: al mattino quando sfogliate un giornale, molti dei quali sono realizzati con pellicola da riproduzione Agfa, in ufficio, dove Agfa vi consente di ottenere rapidamente copie nitide, quando salite su un aereo, già controllato per vostra maggiore sicurezza con pellicole radiografiche Agfa, controllo simile a quello effettuato dal medico, per la sua diagnosi, sempre con materiale Agfa. Ma anche quando, per rilassarvi, ascoltate un disco, guardate un video o andate al cinema. Perchè si registra con nastri magnetici Agfa, si gira con film Agfa e, naturalmente, si fotografa con pellicola Agfa. Le foto delle vostre vacanze a cui tenete tanto, stampate su carta Agfacolor, sono la prova più convincente.

LA PUBBLICITÀ

■ ■ ■ ■ ■ ■ ■ ■ ■ ■ ■ ■ ■ ■ ■ ■ ■ ■ ■ ■

Si viaggia in treno o in autobus, cartelloni e manifesti con immagini sorridevoli e provocanti di ragazze semi-nude ti guardano e ti invitano a provare piaceri infiniti se usi il prodotto o servizi di questi annunci pubblicitari. Vuoi andare in viaggio? Vuoi sapere quali bibite devi bere o quale prodotto alimentare è buono per la salute? Con linguaggio umoristico e informativo, con immagini a colori le inserzioni pubblicitarie sui giornali e sulle riviste influenzano i consumatori di tutte le età. Ciò che si deve vedere al cine o guardare alla TV, come ci dobbiamo vestire, cosa usare per essere magri o belli, come attrezzare o arredare il nostro appartamento . . . annunci interminabili per persuaderci che la nostra vita non sarà mai completa o felice se non usiamo questo o quel prodotto. L'importante è di fare crescere il desiderio del consumatore di comprare e comprare. Tutte queste scritte pubblicitarie hanno un unico scopo: convincere il consumatore ad acquistare i prodotti servendosi della psicologia della massa.

Guarda l'annuncio pubblicitario sulle pellicole cinematografiche che ti dice che i prodotti «Agfa» fanno parte della tua vita quotidiana. Poi rispondi alle domande.

1. Secondo questo annuncio, dove vengono usate le pellicole «Agfa» quando si viaggia? A quale scopo?

2. Come se ne servono i medici di questo prodotto?

3. Che genere di rilassamento è servito da queste pellicole?

4. Qual è la prova più convincente dell'eccellenza di questo prodotto?

5. È facile lasciarsi influenzare da questo genere di pubblicità? Spiega.

6. Personalmente, ti lasci tu influenzare facilmente dalla pubblicità?

7. Per te, quale mezzo di pubblicità è più efficace: televisione, giornali, cartelloni, manifesti, riviste, radio . . . ?

8. Alcuni prodotti lanciano dei messaggi che stuzzicano l'appetito sensuale con immagini suggestive. Come reagisci tu?

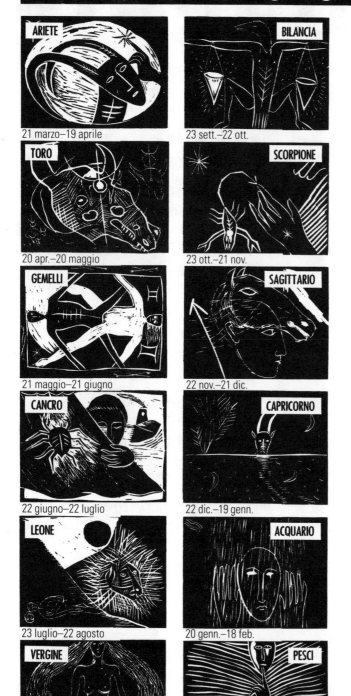

ARIETE
21 marzo–19 aprile

TORO
20 apr.–20 maggio

GEMELLI
21 maggio–21 giugno

CANCRO
22 giugno–22 luglio

LEONE
23 luglio–22 agosto

VERGINE
23 agosto–22 sett.

BILANCIA
23 sett.–22 ott.

SCORPIONE
23 ott.–21 nov.

SAGITTARIO
22 nov.–21 dic.

CAPRICORNO
22 dic.–19 genn.

ACQUARIO
20 genn.–18 feb.

PESCI
19 feb.–20 marzo

1. Sotto qual segno sei nato?

2. In che giorno e in che mese sei nato?

3. Quali persone famose sono nate sotto il tuo segno?

4. In genere, quali sono i caratteristici delle persone nate sotto il tuo segno? (generosi?, simpatici?, fortunati nel lavoro o nell'amore? ecc.)

5. Credi tu ciò che rivela lo zodiaco?

6. Che ne pensi delle persone la cui vita è regolata dall'oroscopo?

7. Molte riviste e giornali pubblicano oroscopi per i lettori. Li leggi tu? Spiega il perché.

8. È scienza o magia predire l'avvenire? Spiega la risposta.

Esprimi un parere.

Ecco alcune previsioni circa il destino pubblicate su apposite rubriche in giornali o riviste. Scegliene una e commentala immaginando cosa ti possa accadere.

1. Farai un viaggio di affari.

2. Entro pochi giorni riceverai una bella sorpresa.

3. Non ti fidare troppo delle persone che incontrerai al ballo.

4. A fine giornata avrai qualche difficoltà in famiglia.

5. Molti svaghi e divertimenti previsti per il fine settimana.

6. Gran successo nel lavoro se ti dai molto da fare.

7. Oggi la fortuna ti sorride; i tuoi sentimenti saranno appagati.

8. Bada bene con chi esci stasera.

A. Rispondi alle domande.

Guarda qui accanto le dodici costellazioni dello zodiaco.

Questura, servizio no stop per gli anziani:

☐ Contro la solitudine in città, la sala operativa interviene anche con un filo diretto con Comune e Caritas. Così è possibile avere la spesa a domicilio o le pulizie di casa

☐ La polizia invita a chiamare per qualsiasi difficoltà. Numerosissime le richieste di aiuto per gli incidenti domestici, cadute o ferite. C'è chi si è smarrito in strada o non trova un farmaco urgente

di RAFFAELE ALLIEGRO

Il «113» della terza età

L'assistenza è capillare, dal soccorso medico alla lista dei negozi aperti. L'emergenza-agosto

Sei anziano e solo? Chiama il 113. Quando Roma è deserta è il modo più semplice per avere assistenza, chiedere aiuto, scoprire qual è l'ufficio pubblico di cui si ha bisogno o dov'è possibile fare la spesa. Un servizio organizzato dalla Questura in collaborazione con il Comune e la Caritas, lavora a tempo pieno per affrontare i piccoli e grandi problemi che non è possibile risolvere da soli.

Sono migliaia gli anziani che ad agosto rimangono in città. E almeno una trentina al giorno le richieste d'aiuto raccolte, con questo servizio, dalla polizia.

Si può telefonare a ogni ora del giorno e della notte. I singoli casi vengono affrontati direttamente dalla polizia se è possibile risolvere tutto con l'intervento di una volante o fornendo le informazioni necessarie.

Il personale del 113 provvede direttamente quando, per esempio, c'è da trovare con urgenza un farmaco, un medico, una bombola d'ossigeno. O ancora quando si rimane chiusi in casa, o fuori, e c'è bisogno dell'intervento dei vigili del fuoco.

La polizia fornisce anche tutti i numeri telefonici e le informazioni necessarie: a chi rivolgersi per farsi pulire casa, dove e come richiedere un certificato, quali sono i servizi comunali pronti a intervenire in agosto sulle emergenze dell'assistenza.

Se tutto questo non basta entrano in scena il Comune e la Caritas. Il primo ha attivato un «Servizio di pronto intervento sociale» gestito dai dipendenti dell'ottava ripartizione. Anche qui c'è un numero di telefono, il 736.972, a cui il personale del 113 smista le richieste di assistenza raccolte dalle 8 alle 19.

Di notte, dalle 19 alle 8,30, la Caritas prende il posto del Comune con un altro numero telefonico, il 687.9094. Il collegamento con il Comune e con la Caritas di Roma è stato previsto per garantire un contatto immediato e diretto con le strutture pubbliche e private di assistenza agli anziani.

Nella maggior parte dei casi dall'altro capo del filo ci sono anziani caduti in casa, soli, incapaci di rialzarsi e che a portata di mano hanno soltanto un telefono. Ma il servizio è soprattutto un punto di riferimento chiaro per chi non è in grado di cercare l'ente, la Usl, l'ufficio comunale, i servizi pubblici e privati di cui giorno per giorno ha bisogno. E molti

«Telefonateci»

telefonano perché cercano un medico, un farmaco, o devono essere ricoverati in ospedale. Il personale del 113 ha a disposizione tutti gli elenchi necessari, da quello delle farmacie di turno a quello dei supermercati aperti nei vari quartieri della città.

L'esperienza maturata dai responsabili del servizio ha fatto capire che spesso gli anziani non riescono neppure a chiedere aiuto. Quindi i vicini, gli amici, i conoscenti sono avvertiti: anche loro devono lanciare l'allarme quando si accorgono o intuiscono che l'anziano è in difficoltà. Perché spesso chi ha ur-

gente bisogno d'aiuto non è neppure in grado di fare una telefonata al 113.

Le richieste ricevute a luglio offrono uno spaccato significativo sulla vita delle migliaia di uomini e donne un po' più avanti con gli anni che d'estate rimangono soli, perché senza famiglia o perché sono stati lasciati a casa durante le vacanze dei parenti. Numerosissime le telefonate di anziani caduti in casa, contusi, feriti, che non riescono a rialzarsi e non sanno a chi rivolgersi. Altrettanto numerose le chiamate per problemi domestici: il gas rimasto aperto, per esempio.

C'è anche chi chiede aiuto dopo essersi smarrito per strada. La signora di 73 anni che non riesce a trovare il numero di telefono dell'ospedale. Oppure l'anziano che ha bisogno di essere accompagnato ogni volta che esce di casa.

L'iniziativa della polizia è a carattere nazionale. Cominciò nell'agosto '88 pensando di limitarla al solo periodo estivo. Poi si è capito che il servizio risponde a un bisogno diffuso in tutti i mesi dell'anno. Ha avuto successo. E da allora non è stato mai interrotto.

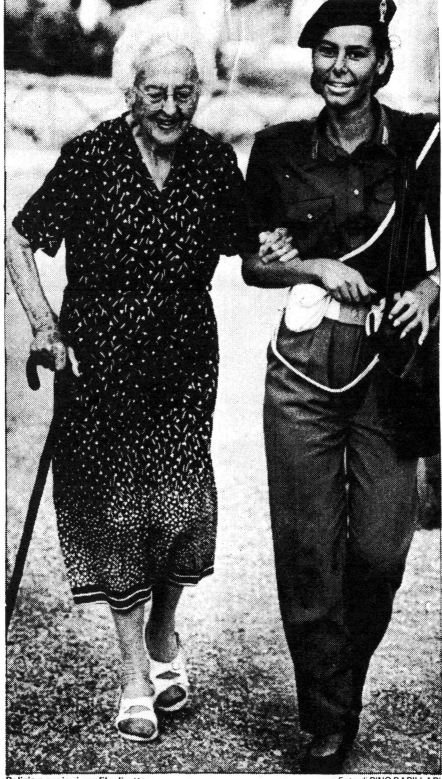

Polizia e anziani, un filo diretto   Foto di RINO BARILLARI

Leggi l'articolo e rispondi alle domande.

1. Chi invita gli anziani a chiamare per qualsiasi difficoltà?

2. Quale numero si deve chiamare? Si chiama lo stesso numero nel tuo paese quando gli anziani ne hanno bisogno?

3. Sono numerosi gli anziani che rimangono soli in città in agosto?

4. Ci sono ore stabilite quando si può chiedere aiuto?

5. Che genere di richiesta viene affrontata dalla polizia?

6. Quale altro servizio fornisce la polizia?

7. Che cosa è la «Caritas»?

8. Quando gli anziani non riescono a chiedere aiuto, chi si avverte?

9. Che genere di telefonate sono numerosissime?

10. Risponde solo durante il periodo estivo la polizia? Quando si è capito che il servizio risponde in tutti i mesi dell'anno?

11. Che ne pensi tu di questo servizio?

12. Credi tu che nel tuo paese le persone della terza età ricevano abbastanza soccorso quando ne hanno bisogno? C'è il bisogno di migliorare la loro condizione? Spiega.

REBUS
(Frase: 3,3,7,2,7)

(Frase: 3,3,7,2,7)
U navi a picco - L adipe - S C ara = UNA VIA PICCOLA DI PESCARA.

Il bel mondo

Londra liberata dallo smog, il Reno ripulito, una coscienza ecologica nuova e positiva.
La corsa sconsiderata all'inquinamento della casa comune non è irreversibile.
E tra gli scienziati, i tecnologi, i filosofi da qualche tempo tira tutta un'altra aria.

Usa, getta, recupera. *Un impianto di riciclaggio e rifiuti urbani.*

Parole utili

risanare—restituire allo stato sano

ripulito—nettato bene

corsa—atto di andare veloce

sconsiderata—imprudente, incurante

inquinamento—lordura, contaminazione

scienziati—dotti, cultori di una scienza

tira . . . aria—c'è un nuovo atteggiamento

rifiuti—scarti, scarichi

estinzioni—distruzione completa

sovrappopolazione—populazione in eccesso

effetto serra—scarico di anidride carbonica nell'atmosfera

Le malattie

della Terra

RIFIUTI

Ogni anno l'umanità produce centinaia di milioni di tonnellate di immondizia domestica e di rifiuti industriali. Solo una percentuale esigua viene trattata e riciclata.

Ormai scarseggiano anche i siti in cui confinare la spazzatura del mondo. E cresce il pericolo per la salute dell'uomo e dell'ambiente.

ESTINZIONI

Ogni giorno si estinguono circa 100 specie animali e vegetali a causa della distruzione di foreste e altri habitat naturali.

Le perdite sono particolarmente gravi nelle zone di foresta tropicale che copre solo il 7 per cento della superficie terrestre, ma ospita il 50–70 per cento di tutte le specie viventi.

SOVRAPPOPOLAZIONE

Popolazione mondiale in milioni di persone.

Gli abitanti del pianeta sono oggi 5 miliardi e crescono di 80 milioni l'anno. Il 90 per cento dell'incremento demografico avviene nei paesi in via di sviluppo. Il tentativo di produrre cibo a sufficienza per tutti costringe ad aumentare l'estensione dei raccolti abbattendo le foreste.

EFFETTO SERRA

I veicoli, le fabbriche, le centrali termoelettriche, gli incendi delle foreste scaricano nell'atmosfera enormi quantità di anidride carbonica. Questa crea una cortina che impedisce al calore solare riflesso dalla superficie terrestre di disperdersi.

Se le emissioni di CO_2 non verranno ridotte, nei prossimi 60 anni la temperatura del pianeta salirà di 4–5 gradi.

Ogni giorno che passa un abitante di Milano o di Roma butta nella spazzatura un chilo di rifiuti. In un anno il totale per il paese ammonta a 18 milioni di tonnellate. La civiltà dell'«usa e getta» produce montagne di rifiuti domestici. E le città sono la peggior fonte di questo inquinamento.

una chiatta di spazzature

Le malattie della terra

Parole da ricordare

immondizia	sozzura, rifiuti	**incremento**	aumento
esigua	piccola	**avvenire**	succedere
trattata	curata	**costringere**	obbligare
scarseggiare	mancare	**raccolta**	mietitura
spazzatura	immondezza	**abbattere**	gettar giù
crescere	aumentare	**inquinamento**	contaminazione
ambiente	dintorni	**cortina**	tendina
chiatta	barca a fondo piatto	**disperdersi**	dissiparsi

A. Domanda a un compagno o a una compagna:

1. Di commentare l'articolo sotto la voce: **Rifiuti**.

2. Di commentare l'articolo sotto la voce: **Estinzioni**.

3. Di commentare l'articolo sotto la voce: **Sovrappopolazione**.

4. Di commentare l'articolo sotto la voce: **Effetto Serra**.

5. Di parlare della «corsa sconsiderata all'**inquinamento**».

B. Offri qualche soluzione per rendere il mondo più sano negli anni venturi.

- propagare l'uso del combustibile di fossili
- trovare altri modi di utilizzare le forze della natura: sole, vento, concime
- diminuire o eliminare l'estinzione degli animali di rara specie
- prendere provvedimenti contro la siccità ed il rialzo della temperatura
- evitare lo scarico nell'atmosfera di enormi quantità di anidride carbonica, ecc.

Vongole morte riversate sulla riviera romagnola da una mareggiata

dal nostro inviato

FRANCO IVALDO

VENEZIA—Le alghe non hanno patria. E non preoccupano solo bagnanti, vacanzieri, operatori economici e agenzie di viaggi. Anche il nostro vicino jugoslavo ha infatti deciso di muoversi. Nell'ambito degli incontri veneziani all'isola di San Giorgio del vertice italo-jugoslavo la questione è stata approfondita.

Italia e Jugoslavia varano un piano per salvare l'Adriatico

☐ Nel vertice tra i due paesi avviato a Venezia si è deciso di unire le forze per difendere il mare dalle alghe. Presto una rete di monitoraggio congiunta. Una commissione mista si riunirà ogni due mesi

L'appello di Barry Commoner

'L'Adriatico muore come l'Amazzonia'

sfidando la mucillagine, decidono di restare

GLI SCIENZIATI delle alghe lanciano un appello internazionale per la salvezza dell'Adriatico mentre s'annuncia l'arrivo della «Goletta verde» che emetterà un altro verdetto sulla salute del mare. Così, in un mercoledì in cui la mucillagine scompare dall'orizzonte, diagnosi e analisi si intrecciano. L'appello firmato da 20 studiosi punta su un avvertimento: «L'Adriatico è una delle dieci emergenze ambientali del pianeta (come ha evidenziato la rivista Time) e come tale va affrontato dalla comunità internazionale». Ma, soprattutto, il messaggio tende a portare chiarezza sulle valutazioni del fenomeno-mucillagine: «è inaccettabile definire "naturale" questo dramma, questo fenomeno di cui si conosce ancora troppo poco, ignorando le modificazioni avvenute negli ultimi 20 anni». A firmare la tesi sono biologi di fama mondiale come Barry Commoner.

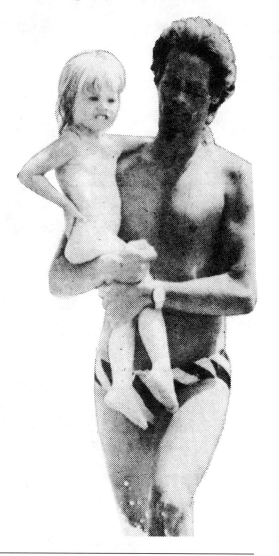

La Camera approva le misure per l'Adriatico

Varata la legge antialghe E sulla costa arrivano vongole morte

Rispondi alle domande.

1. Quali due nazioni hanno deciso di avviare un vertice?

2. A quale scopo si riuniranno le forze?

3. In quale città avrà luogo il vertice?

4. Quando si riunirà la commissione mista?

5. Spiega la locuzione «Le alghe non hanno patria».

6. Chi si preoccupa delle alghe?

7. In quale isola veneziana è stata approfondita la questione?

8. Sei mai stato/a a Venezia? Che ricordi hai del Lido di Venezia?

9. Nella foto si vede un uomo con in braccio una bambina. Sembra che l'uomo abbia voluto sfidare la mucillagine. Per quali ragioni credi tu che lui abbia deciso di restare al mare?

10. Chi lancia un appello internazionale? Perché?

11. Che cosa ha evidenziato la rivista «Time»?

12. Si conosce molto del fenomeno-mucillagine?

13. Spiega perché le vongole arrivano morte sulla costa.

14. Hai sentito parlare della goletta-verde? Che cosa è? Qual è la sua missione? Sei d'accordo con questa missione o no? Spiega.

SOGNO (O INCUBO?) DI UN PESCATORE

Scegli, tra le parole proposte, quella che
completa il paragrafo seguente.

pipa	pesce	mare	magnifica	canna da pesca	l'amo	prendere	splende	pescatore	pas-
sano	accorge	alghe	insuccesso	scarpa	pesciolino	granchio	niente		

È una ___ giornata. Il sole ___ . Un vecchio ___
prende la sua ___ e si avvia verson il ___ . Mette l'esca
all'amo e la getta al mare. Poi accende la ___ e si siede
tranquillamente aspettando che qualche ___ abbocchi.
Passa un'ora. ___ passano due ore, ma non riesce a
___ nulla. Scoraggiato dall' ___ si prepara a ritirare
___ . Tutto ad un tratto si ___ del peso…

Come finisce la giornata del pescatore?

ANDIAMO ALL'OPERA

Luciano Pavarotti

Puccini
«La Boheme»

Mirella Freni

Ecco due artisti di fama mondiale.

Rispondi alle domande.

1. Sei mai andato/a all'opera? Quali sono le tue opere preferite?

2. Che cosa ci trovi di bello in un'opera che hai visto? Che cosa ci trovi di brutto?

3. Sai cosa vuole dire l'espressione «bel canto»? Spiega.

4. Preferisci ascoltare un'opera incisa su dischi o vedere lo spettacolo al teatro?

5. Dove si trovano alcuni famosi teatri d'opera?

6. Chi sono alcuni illustri compositori d'opera italiana?

7. Preferisci ascoltare le opere in lingua italiana o in un' altra lingua? Spiega.

8. Chi sono altri artisti d'opera che godono di fama mondiale?

9. Spiega la parola «godere»? Quali sono alcuni sinonimi di questo verbo?

10. Spiega il significato di questi proverbi: «La roba non è di chi la fa, ma di chi la gode». «Col poco si gode e con l'assai si tribola.»

Aida torna in Arena

Parla Aprile Millo che stasera sarà Aida a Caracalla

«Torno in Italia per amore di Verdi»

☐ «Adoro lavorare qui, e adoro questo pubblico che è capace di distinguere la qualità dell'esecuzione». Il duetto con Pavarotti

«Mia mamma ha voluto chiamarmi Aprile per garantirsi sempre un piccolo sprazzo di primavera accanto». Aprile Millo ride di cuore nel raccontare questo aneddoto, con quel suo splendido timbro cristallino di soprano. Stasera, alle Terme di Caracalla, per la stagione estiva dell'Opera di Roma, la aspetta il grande impegno con uno dei più celebri personaggi dell'opera lirica: Aida.

In scena con lei saranno, tra gli altri, Gianni Furlanetto nelle vesti del Re, Grace Bumbry (Amneris) e Giorgio Lamberti (Radames). L'orchestra, il coro e il corpo di ballo dell'Ente saranno diretti da Nicola Rescigno: la regia è affidata a Silvia Casini.

Si tratta di una riproposta dell'allestimento storico degli anni trenta firmato da Caramba e restaurato per questa occasione. Rescigno, che è direttore artistico dell'Opera di Dallas, torna in Italia dopo 25 anni: il suo nome è legato al nostro Paese per la collaborazione artistica che ebbe per quindici anni con Maria Callas.

«Luoghi monumentali, decorati e l'intervento di animali per ottenere grandi effetti da spettacolo trionfale è ciò che lo stesso Verdi avrebbe voluto per quest'opera» afferma Aprile Millo, Aida, descrivendo l'eccezionale coreografia e la difficile regia messe a punto a Caracalla per lo spettacolo di questa sera, che sarà replica-

to il 28 e il 30 luglio con altre sei rappresentazioni fino al 13 agosto, quando gli interpreti saranno diversi e la Millo sarà sostituita da Antonella Banaudi. Aprile Millo torna dunque nel mitico personaggio verdiano dopo avere già vestito i panni di Aida all'Arena di Verona e tempo fa al "Metropolitan" di New York. «Quella volta ho cantato una recita dell'Aida insieme a Luciano Pavarotti e la Fiorenza Cossotto che era in sala è rimasta entusiasta per la fusione delle nostre due voci. Da lì è nata un'amicizia che dura tuttora, sempre più forte».

E l'Italia?

«Adoro lavorare qui, adoro il pubblico italiano che è capace di distinguere sempre la qualità dell'esecuzione. Poi qui mi sento un po' a casa, visto che i miei nonni erano nati in Italia».

Quali direttori preferisce?

«Meglio non fare nomi, ma in generale preferisco quelli che mettono tutta la propria personalità al servizio della musica, che rinunciano a mettere in mostra la propria personalità e consentono la piena espressione dei cantanti».

Stasera il grande palcoscenico di Caracalla. Cosa prova?

«Sono felicissima di questo impegno che mi consente di affrontare ancora una volta il repertorio che io preferisco, quello verdiano».

C. Bos.

Leggi i due articoli su l'«Aida» di Giuseppe Verdi.

Le prove dell'Aida a Caracalla per la «prima» di domani sera Foto di Alberto Bandinelli

Domani sera «prima» di Aida diretta da Nicola Rescigno

Marcia trionfale a Caracalla

di LUIGI PASQUINELLI

I sei cavalli *grigi*, sellati e con gli zoccoli lucidi di grasso, sono legati alle impalcature sotto alle rovine. Tra poco faranno il loro ingresso trionfale sul palcoscenico delle terme di Caracalla. La musica di Verdi, le 260 comparse, i cento coristi, i 90 ballerini, i cantanti e i tecnici che si muovono sotto al *Calidarium* non disturberanno più di tanto questi quadrupedi nervosi ma ben addestrati.

Anche quest'anno avranno il loro ruolo, breve ma spettacolare, nella storia di *Aida*, melodramma obbligato della stagione estiva dell'Opera, la cui "prima" è fissata per domani sera. Guai se lo sapesse *Pasquina*, la cammella dello zoo che per tanti anni ha avuto l'onore della ribalta e che ora, diva al tramonto, è stata messa a riposo. Americani e giapponesi, sensibili agli effetti circensi, dovranno accontentarsi degli scalpitanti equini bardati con drappi di scena e con tanto di biga a rimorchio.

Sul podio Nicola Rescigno prova e riprova la prima e la seconda scena del primo atto, culminante negli squilli delle dodici trombe egizie che intonano all'unisono la marcia trionfale. Sul palco Aprile Millo vestirà i panni di Aida, Grace Bumbry quelli di Amneris, Giorgio Lamberti sarà Radames, Alessandro Cassis Amonasro, Nicola Ghiuseley Ramfis, Gianni Furlanetto il re, Dario Zerjal il messaggero, Corinna Vozza la sacerdotessa. La regia è firmata da Silvia Casini. E' dal 1964 che Rescigno non si esibisce in Italia, da quando inaugurò il teatro *La Cometa* con *L'incoronazione di Poppea* e *Le trame deluse* di Cimarosa e sono 33 anni che è direttore artistico dell'Opera di Dallas.

Nato a New York da genitori italiani il maestro ha fatto il liceo a Frascati, si è laureato in giurisprudenza ed è diventato un interprete conosciuto nei più prestigiosi teatri del mondo. Ora vive in America ma ha una villa del '500 a Rignano Flaminio, a pochi chilometri da Roma. Nel 1954 ha fondato il teatro lirico di Chicago dove ospitò il debutto americano di Maria Callas: un sodalizio artistico con la soprano greca durato quindici anni. «Maria era una professionista dalla cima dei capelli alla punta dei piedi – ricorda il direttore – ed era esigentissima con sé e con gli altri. Personalmente è stata sfortunata ma i suoi drammi privati hanno contribuito ad alimentare la sua leggenda».

Se il maestro italiano, che parla con cadenza napoletana e lieve accento americano, dopodomani dirigerà l'*Aida* lo si deve al direttore artistico dell'Opera di Roma, Bruno Cagli, che lo ha invitato. "Da ragazzo – ricorda il musicista – venivo a Caracalla a seguire recite splendide a cui assistevano 20 mila persone. Anche se non amo la musica all'aperto, questo posto è talmente splendido che sono felice di

essere stato chiamato".
La prova è finita e Rescigno, sudato e sorridente, si ritira nel camerino di fortuna ricavato sotto le pietre millenarie.

Vestita con un tailleur, Aida, alias Aprile Millo, è reduce da Verona dove ha interpretato la stessa opera. "Amo Caracalla – confida la cantante nata a New York da genitori napoletani – e questa città meravigliosa dove vorrei comprarmi una villa. Mi trovo bene con il direttore perché appartiene alla vecchia scuola. L'allestimento nelle antiche terme è aderente alla volontà di Verdi. Il musicista voleva le palme, i cavalli, un'atmosfera trionfale. Magari in America ci fosse tanta fantasia». Aprile Millo ha prestato la sua voce a Liz Taylor nel film *Toscanini* diretto da Zeffirelli. «Lavorare con il regista italiano è stata la realizzazione di un sogno e anche la Taylor è una donna piena di vita che ti trasmette gioia».

Alla fine Venezia s'è arresa ai Pink Floyd

DA UNO DEI NOSTRI INVIATI

VENEZIA — Tarda mattinata di ieri. Mentre un raggio di sole buca la cortina di nuvole e allontana la minaccia di un ennesimo scroscio, lo zatterone-palco dei Pink Floyd lascia la zona del porto, l'area di Santa Marta. Trainato da due rimorchiatori, avanza a stento e si fa largo nel canale della Giudecca.

È immenso, incombente, altissimo e nero. Copre la facciata della chiesa del Redentore, nasconde le case, le finestre e le rive. Va verso il bacino di San Marco, portandosi dietro le sue trecento tonnellate, gli autobus, i Tir allineati sulla chiatta sconfinata, i tralicci di tubi alti come piramidi. La gente guarda stupefatta e quasi stenta a comprendere.

Una volta al centro del bacino, la cittadella della tecnologia e della fantasia, costruita da un'armata di esperti, sembra un mostro salito dagli abissi. Vista da riva degli Schiavoni, cancella l'imboccatura del canale della Giudecca; osservata da un altro punto, più a destra, sovrasta il campanile di San Giorgio.

Senza i giochi straordinari dei laser, senza i mixer e le altre diavolerie che la scenografia del concerto promette, è un gigante inerte e scuro. Sulla riva degli Schiavoni sono state piazzate le torri con le apparecchiature per inondare di luci la passerella e le quinte. Bauli, tralicci, matasse di cavi. Una torre è a pochi metri dalla lapide che ricorda un remoto soggiorno veneziano di Ciaikovski, e richiama alla memoria che «Qui compose la quarta sinfonia».

Un'altra torre è a ridosso del monumento equestre a Vittorio Emanuele II. Un'altra è sul ponte della Pietà. Un'altra è davanti alla chiesa della Visitazione.

❧

Una donna, veneziana come veneziani erano i genitori e il padre del padre, scuote la testa con malinconia. «Il nostro Redentore certamente vedrà, e neppure Lui capirà». Si volta, guarda di qua e di là, e con un gesto infastidito si ripara dal sole che l'acceca. Sussurra, un po' in dialetto e un po' in italiano: «La festa del Redentore è stata sempre una celebrazione nostra e basta. Una festa autentica, espressione di sentimento e devozione. Una festa sull'acqua... le barche addobbate... il picnic... i fuochi d'artificio».

Si montano i megaschermi in diversi luoghi della città. In piazza San Marco, in campo San Polo, in Santo Stefano, in Santa Marta, ai giardini, al Lido. Di megaschermi ci sarà bisogno, dal momento che i Pink Floyd, stasera, si esibiranno con il silenziatore per evitare l'impatto delle onde sonore sui monumenti di piazza San Marco. Sessanta decibel sono poco più del cinguettio degli uccelli. In riva degli Schiavoni non si udrà quasi niente, e chi conserva un minimo di saggezza ha deciso che il televisore in casa è preferibile alla calca nei campi e nei campielli.

Le polemiche sulla performance del complesso britannico hanno diviso e dilaniato Venezia, ma Venezia, ora, assiste indifferente e pigra. Non pare ci sia curiosità, e non c'è l'attesa della vigilia. Le magliette con sopra scritto «Pink Floyd in Venice» sono appese fuori dei negozi e sulle bancarelle. Quella nera, verde e viola, costa 7.500 lire; quella bianca, con la faccia di David Gilmour, 9.000 lire. Ma non c'è corsa all'accaparramento.

❧

Fabio Felicetti

«Scusate il disturbo, ma adesso divertiamoci»

Il palco «della discordia» è già ancorato nel bacino di San Marco (Foto Daily for press)

Leggi l'articolo sui Pink Floyd; poi rispondi alle domande.

1. Descrivi la tarda mattinata a Venezia.

2. Come va trainato lo zatterone-palco dei Pink Floyd?

3. Descrivi lo zatterone-palco.

4. Che altezza ha questo zatterone-palco?

5. Cosa hanno piazzato sulla riva degli Schiavoni?

6. Quale grande compositore commemora la lapide?

7. Perché scuote la testa con malinconia la Veneziana?

8. Come si è sempre festeggiata la festa del Redentore?

9. Perché si montano i megaschermi in diversi luoghi della città?

10. Che cosa ha diviso i Veneziani in questa occasione?

11. Ti piace la musica classica o la musica «rock»? Spiega.

12. Vai mai a questi concerti di musica «rock»? Racconta le tue impressioni.

13. Spiega la locuzione: «il palco 'della discordia'».

14. Puoi comprendere l'ostilità di molti Veneziani verso questo gruppo di musicisti?

Forse impossibile restaurare la Sistina in versione originale

Quei nudi di Michelangelo resteranno in "braghettoni"

nostro servizio

ROMA (*u.r.*) – Non torneranno nudi, probabilmente, santi e profeti della Cappella Sistina. E non saranno spogliate quelle decine di figure affrescate senza veli da Michelangelo nel capolavoro del Giudizio Universale, ma qualche anno dopo pudicamente rivestite dal pittore Daniele da Volterra. I «braghettoni» dunque, almeno in buona parte, non verranno sfilati: resteranno lì, addosso ai personaggi del celeberrimo affresco, a «censurare» quattro secoli dopo le «oscenità» del maestro. Non c'è una decisione definitiva, ma sembra proprio questo l'orientamento che si profila fra gli esperti. L' équipe dei Musei vaticani che sta lavorando da anni al restauro della Cappella, invita alla prudenza e aspetta il responso dei sondaggi fotografici e radiografici sull'opera che scatteranno nei prossimi mesi. Poi, sarà insediato un pool con i massimi esperti internazionali. Dovranno sciogliere un nodo delicatissimo, risolvere un problema decisivo prima di mettere mano al restauro vero e proprio dell'affresco. «Soltanto allora - dice il direttore dei Musei, il professor Carlo Pietrangeli - saremo in grado di pronunciarci sul restauro. Io posso esprimere soltanto un'opinione personale: sarei per non togliere quei veli, che hanno comunque un valore storico, entrati a far parte dell'affresco. Del

resto anche a San Pietro le nudità delle sculture vennero avvolte, nel Seicento». Il rebus che dovranno risolvere gli esperti è il seguente: accertare se messer Daniele da Volterra - l'allievo prediletto di Michelangelo che nel 1594 in preda ai furori della Contro Riforma rivestì le nudità - impugnò lo scalpello per cancellare per sempre i tratti originali oppure coprì semplicemente le «vergogne» con le tempere e ad olio.

In quest'ultimo caso braghe, veli, perizomi e sottane che, obbedendo agli ordini del Concilio di Trento, rivestirono quel «trionfo di parti disdicevoli del corpo umano», potrebbero sparire. Il «Giudizio» insomma potrà fare lo strip, e tornare tale e quale al disegno originale di Michelangelo. Ma gli esperti sembrano pessimisti. Dice il professor Giulio Carlo Argan, critico d'arte: «Molto probabilmente non sarà tecnicamente possibile recuperare tutti i tratti iniziali eseguiti da Michelangelo. Quell'intervento successivo avrà fatto saltare i vecchi segni, lavorando direttamente sulla parete». In sostanza, anche volendo eliminare quel sottanone che ha censurato il nudo integrale (ma di spalle) di Santa Caterina per i restauratori non sarebbe possibile (ai suoi tempi fu sicuramente scalpellato e rifatto), e se volessero spogliare San Biagio dal prudente perizoma po

trebbero incappare in cattive sorprese. Ovvero, sotto il vestito niente: cancellando gli abbigliamenti firmati da Daniele da Volterra c'è il rischio di trovarsi di fronte null'altro che un muro scrostato. «E in questo ipotesi - dice ancora Argan - è certamente preferibile lasciare la cose come stanno, non toccare niente. Sì, credo proprio che buona parte di quei braghettoni alla fine resterà. E in fondo, se non è possibile ritornare all'originale, non è un gran male. Non parlo naturalmente per spirito bigotto e puritano, ne sono sufficientemente immune». E dunque, professore?

«Il fatto è che quei, chiamiamoli così, rivestimenti appartengono alla storia dell'affresco di Michelangelo, sono tracce che hanno un'importanza dottrinale e perfino teologica. E del resto vennero sovrapposti all'opera quando Michelangelo era ancora in vita, e lui non era certamente un eretico. Insomma, io esiterei prima di cancellarli».

Eppure il maestro non dimenticò il suo primo censore, quel gran cerimoniere di Papa Paolo III che per primo fece scoppiare lo scandalo sull'affresco da « bagno pubblico e non da Capppella di un pontefice»: Michelangelo lo spedì all'inferno, ritratto sui muri della Sistina nei panni di Minosse. E da allora infuria la guerra delle «culottes» nel Giudizio Universale.

Leggi l'articolo sui restauri della Cappella Sistina, poi rispondi alle domande.

1. Quale artista ha affrescato la Cappella Sistina?

2. Sei mai stato/a nella Città del Vaticano? Quali impressioni hai avuto? Quali sono i tuoi più vivi ricordi?

3. Credi veramente che gli affreschi di Michelangelo siano osceni? Spiega.

4. Chi sta cooperando al lavoro del restauro?

5. Chi lavora da anni al restauro della Cappella?

6. Secondo il Direttore dei Musei Vaticani, quando sarà possibile dare un giudizio sul restauro?

7. Qual è l'opinione del direttore dei Musei a questo riguardo, cioè a togliere o non togliere quei veli?

8. Sei d'accordo con lui, o no? Perché?

9. Qual è il rebus, cioè, l'enigma che dovranno risolvere gli esperti?

10. Che cosa hanno dovuto «coprire» per obbedire agli ordini del Concilio di Trento?

11. Spiega la locuzione: «Il Giudizio insomma potrà fare lo strip».

12. Quali difficoltà devono affrontare per non incappare in cattive sorprese?

13. Gli esperti pensano che sarebbe meglio non toccare buona parte dei braghettoni. Sei d'accordo? Spiega perché.

14. Papa Paolo III fece scoppiare lo scandalo sull'affresco definendolo «bagno pubblico» non degno di una Cappella del Pontefice. Michelangelo, a suo turno, lo spedì all'inferno. Se tu fossi stato il Papa, avresti agito nello stesso modo? Spiega.

15. Se tu fossi stato nei panni di Michelangelo, cosa avresti fatto?

PALIO

ESCLUSIVO

La Domenica del Corriere

*Qui sopra, sbandieratori del corteo storico che percorre piazza del Campo, prima
che si corra il Palio. La prima sfilata in costume rinascimentale
risale al 1871, mentre la gara ha origini ancora più antiche e nasce nel 1310 (ma,
all'epoca, si correva con bufali o asini). Alla contrada vincitrice
spetta un drappo raffigurante il volto della Vergine, dipinto da famosi artisti.*

*In piazza del Campo esplode la passione più sfrenata (<u>qui sopra</u>). E il cavallo che
ha fatto vincere il Drappellone (<u>a fianco</u>) è seguito poi dal corteo
osannante dei contradaioli. Per i senesi il Palio è una festa sacra e irrinunciabile,
preparata durante tutto l'anno. La sera prima della corsa, in tutti i
rioni della città, si tiene una cena propiziatoria con i tavoli apparecchiati nelle strade.*

*Un sogno lungo novanta sofferti secondi: un
minuto e mezzo che le diciassette
contrade della città di Siena preparano per
tutto l'anno. È il Palio: tre
velocissimi giri a cavallo in Piazza del
Campo, una volta il 2 luglio,
l'altra il 16 agosto, che coinvolgono tutta
Siena. In queste pagine, «7» racconta
lotte, trucchi e speranze di una gara unica.*

Servizio di Roselina Salemi - Foto di Franco Fontana

Intrighi. Cabali. Scommesse. Tutto si fa per vincere. Tutto per la gloria. Un'onda di gente, italiani e soprattutto turisti, sulle scomode tavole dei palchi, sul davanzale delle finestre, stipati ovunque. Drappi con i colori delle contrade, paggetti, sbandieratori, cavalli, fantini, corteo. Fazzoletti al vento. Grida. Il sole scotta, ma non importa. Piazza del Campo vive nel suo antico splendore. Rullo di tamburi. Momenti di febbre . . . la corsa comincia.

A. Rispondi alle domande.

1. Dove si svolge la corsa dei cavalli?

2. Quanti giri dell'anello di Piazza del Campo fanno i cavalli?

3. Quanto tempo dura la corsa?

4. Quante volte si fanno le corse? Quando?

5. Che cosa racconta l'articolo?

6. Chi segue il cavallo che ha vinto il palio?

7. Per quanto tempo preparano la festa i senesi?

8. Cosa si celebra la vigilia della corsa?

9. A quando risale la prima sfilata in costume?

10. Che tipo di premio ottiene la contrada vincitrice?

B. E tu?

1. Hai mai assistito alla festa del Palio? A una gara di sbandieratori?

2. Hai mai visto una corsa di cavalli? Dove?

3. Hai mai visto un fantino disarcionato? Racconta il fatto.

4. Descrivi le tue emozioni durante uno spettacolo: corsa di cavalli, corsa di biciclette, partita di calcio, ecc.

5. Racconta, a modo tuo, ciò che fa «vivere» Piazza del Campo nel suo antico splendore.

I fuorilegge della cintura

«A briglie sciolte» il 61 per cento degli automobilisti

I vigili chiudono un occhio. La fantasia non manca: c'è chi usa le mollette del bucato per agganciare la cintura al vestito

Scatta il verde e il rappresentante sfreccia con la sua auto. L'ondata di traffico riprende e in pochi secondi si vedono passare serenamente "slacciati" i viaggiatori di ben 22 vetture su 31.

Ad alzare bandiera bianca, in maggioranza, sono le donne. Non vogliono sentirsi prigioniere di questo nastro che sciupa e sporca vestiti e camicette. Con lo sguardo innocente di chi è

colto in fallo, Claudia Vadalà, a bordo di una Metro special bianca giura che è proprio un caso: «Ecco, me la sono levata proprio ora».

Primato dell'indisciplina a via Cola di Rienzo. Le donne in rivolta: la «trappola» sgualcisce e sporca vestiti e camicette

Soffoca, sporca, fa caldo:

tutte le scuse sono buone per liberarsi

delle cinghie di sicurezza

Rispondi alle domande.

1. Spiega la locuzione: «I fuorilegge della cintura».

2. Fanno molta attenzione i vigili ai fuorilegge della cintura?

3. A quale sotterfugio ricorrono alcuni autisti?

4. Perché, secondo te, non vogliono sentirsi prigioniere le donne? Hanno ragione o torto?

5. Cosa dice al vigile Claudia Vadalà quando è colta in fallo? Cosa diresti tu al vigile in simili circostanze?

6. Ha mai avuto una multa per non aver allacciato la tua cintura di sicurezza?

7. Chi sono più indisciplinati nell'uso della cintura di sicurezza, gli uomini o le donne?

8. Ti dispiace insistere che i passeggeri nella tua macchina allaccino la cintura? Perché? Per quali ragioni non si vogliono allacciare la cintura di sicurezza?

9. Quali, secondo te, sono i vantaggi e gli svantaggi della cintura di sicurezza?

10. Quale percentuale degli autisti non si allaccia la cintura di sicurezza?

11. Quanti viaggiatori si vedono passare «slacciati» nell'ondata di traffico?

12. Ti allacci la cintura di sicurezza sull'autostrada? Quando vai a fare la spesa? Quando il percorso è breve?

Un lavavetri sulle strade romane

Un'indagine conoscitiva dei carabinieri

L'identikit del lavavetri

Nel centro storico sono un centinaio. Fermi agli incroci o sul lungotevere, scattano con il rosso dei semafori, decisi a pulire il maggior numero di parabrezza nel minor tempo possibile. Sono i lavavetri: nella maggior parte dei casi polacchi in attesa di un visto per il nord America. Una realtà ormai consistente, su cui i carabinieri hanno deciso di fare un'indagine conoscitiva, dopo aver ricevuto diverse segnalazioni da cittadini che sostengono di essere stati in qualche caso molestati per aver rifiutato il lavaggio del parabrezza.

Lavorando a tempo pieno, secondo i carabinieri, riescono a guadagnare ogni giorno dalle 100 alle 300 mila lire. Si piazzano di solito agli incroci più congestionati del centro storico o sul lungotevere. Sono per lo più di nazionalità polacca con moglie e figli a carico. Sembra che la loro sia una delle attività più redditizie tra quelle irregolari. L'indagine dei militari ha appurato che in un'ideale classifica questo tipo di lavoro è al secondo posto, subito dopo quello di parcheggiatore abusivo che rende dalle 200 alle 400 mila lire al giorno.

I militari hanno anche scoperto che tra i vari gruppi familiari che vivono di quest'attività vi è una sorta di spartizione degli incroci più redditizi. E non sempre questa divisione di competenze territoriali va in porto senza contrasti.

Gran parte dei lavavetri vivono nelle pensioni convenzionate con il ministero dell'Interno che richiedono una retta di circa venticinquemila lire al giorno. E quando la loro permanenza si prolunga oltre i tempi normalmente necessari vengono trasferiti nei campi profughi di Latina o di Capua.

La loro vita ruota attorno a due cardini fissi: il lavoro sulle strade e la lunga e snervante attesa del completamento delle pratiche necessarie per emigrare. L'Italia è di solito soltanto una tappa intermedia, mentre è il Canada la destinazione finale più richiesta. Secondo i carabinieri, nei prossimi giorni anche i cento lavavetri del centro storico seguiranno l'esodo estivo. Molti hanno già deciso di trasferirsi sul litorale per seguire anche al mare tutti i loro potenziali clienti.

Leggi l'articolo sui lavavetri, poi rispondi alle domande.

1. Dove si trovano i lavavetri?

2. Che cosa fanno nel minor tempo possibile?

3. Qual è la nazionalità della maggior parte dei lavavetri?

4. Perché i carabinieri hanno deciso di fare un'indagine conoscitiva?

5. Di che si lamentano i cittadini?

6. Rendono molto le loro attività?

7. Ci sono dei lavavetri nella tua città? Cosa gli dici quando si avvicinano alla tua macchina per pulire il parabrezza? Qual è la loro attitudine?

8. Che altro hanno anche scoperto i militari?

9. Dove vivono gran parte dei lavavetri?

10. Cosa gli succede se la loro permanenza si prolunga?

11. Su quali due cardini fissi ruota la loro vita?

12. Quale paese è più richiesto come destinazione finale?

13. Che cosa rappresenta per loro l'Italia? Lo puoi immaginare perché?

14. Secondo i carabinieri, quando incomincerà l'esodo estivo dei lavavetri?

15. Dove si trasferiranno molti di questi lavavetri?

ESERCIZI

■ ■ ■ ■ ■ ■ ■ ■ ■ ■ ■ ■ ■ ■ ■ ■ ■ ■

1. Prolungamento delle strutture

Ecco una struttura semplice: **Il padre di Maria è avvocato**. Aggiungi delle parole o locuzioni per amplificare le frasi seguenti.

Esempio:

(Struttura semplice): Il padre di Maria è avvocato.
(Ampliamento): Il padre di Maria, il signor Giovanni Guelfo, che abita in Via Mafalda in una antica casa di stile mediterraneo, è un ottimo avvocato.

1. Mio fratello è partito per Roma.
2. Il professor Bianchi insegna scienze politiche.
3. Mi piace viaggiare d'estate.
4. L'autista è stato investito.
5. La mia amica è gelosa.

2. Strutture da completare

Scegliendo parole da ogni colonna e aggiungendo ciò che è necessario per rendere la frase corretta, fai delle frasi complete.

Esempio:

vostro—videoregistratore—stare per—entrare—cultura—Il vostro videoregistratore sta per entrare nell'età della cultura.

dovere	sedersi	in	poltrona	viaggiare	fantasia
noi	potere	scegliere	tanti	del	cinema
se	essere	favola	potere	chiamare	scelta
vita	essere	solo	volo	essere	realtà
non	piacere	spiegare	senso	di	proverbi

3. Ampliamento di strutture

Aggiungi una locuzione originale per ampliare le seguenti strutture.

Esempio:
Mentre io andavo ___ ho ___ un ___ .
Mentre io andavo **al cine** ho **visto** un **incidente**.

1. Mentre Maria stava per ___ ___ sua sorella.
2. ___ il professore ___ parlare ___ è ___ .
3. Mentre lo zio ___ è arrivato ___ che ___ diceva di ___ .
4. Ieri ___ la mamma ___ la cucina ___ all'improvvista.
5. Stanotte ___ incubo e ___ di sussulto.
6. Il mese scorso ___ in Italia per ___ ma ___ riuscito.
7. Era una bella giornata e ___ di ___ al supermercato ___ quindi ___ a ___ .

8. Ogni volta

che $\begin{cases} \text{incontro un amico} \underline{\quad} \text{a} \underline{\quad}. \\ \text{ricevo} \underline{\quad} \text{mi metto a} \underline{\quad}. \\ \text{leggo} \underline{\quad} \text{mi} \underline{\quad} \text{parlare di} \underline{\quad}. \\ \text{guardo} \underline{\quad} \text{perdo} \underline{\quad} \text{perché} \underline{\quad} \text{cose} \\ \text{stupide.} \\ \text{faccio} \underline{\quad} \text{non lo trovo mai} \underline{\quad}. \end{cases}$

9. Alle ore otto ___ faccio ___ poi ___ .

10. Alle ___ di sera ___ vado ___ poi ___ e incomincio a ___ .

---

4. Finisci la storia a modo tuo

Leggi i seguenti paragrafi, poi finisci le storie a modo tuo:

C'era una volta un signore a cui piaceva molto andare a fare delle lunghe passeggiate da solo. Un giorno decise di fare una gita in campagna. Ora, lui non aveva mai fatto l'autostop ma essendo un uomo di coraggio che amava le sfide ha pensato: «Va bene che potrei incorrere qualche pericolo ma ho una gran voglia di provarci». Detto fatto. Arrivato a un bivio vide venire una macchina. Fece segno col pollice e . . .

****

Era la vigilia di Natale. Fuori faceva un freddo da morire. Una vecchietta si avviava verso il centro affrontando la neve che continuava a cadere rendendo le strade pericolose. Nondimeno, imbacuccata nel suo esile mantello lacerato la vecchietta sembrava non curarsi della tempesta. Aveva un compito da compiere e . . .

---

5. Ciò che piace

Domanda a un amico o a un'amica:

1. Ti piace rimanere in casa la domenica? Perché?

2. Ti piace andare nei negozi?

3. Perché ti piace guardare la televisione?

4. Ti piace fare dello sport?

5. Ti piace essere uomo?

6. Ti piace essere donna?

7. Perché ti piace andare al cinema?

8. Ti piace mangiare nei ristoranti?

9. Ti piace riposarti in fine settimana?

10. Ti piacciono le trasmissioni della cronaca bianca?

11. Ti piace fare delle passeggiate? Quando?

12. Ti piace viaggiare: in macchina? in treno? in aereo?

13. Con chi ti piace viaggiare?

14. Ti piace prendere il caffè in piazza? Perché?

15. Perché ti piace guardare il crepuscolo?

16. Ti piacerebbe ricevere una borsa di studio?

17. Perché ti piace sognare ad occhi aperti?

18. Dimmi quali divertimenti preferisci e perché.

19. Perché ti piace leggere il giornale la domenica?

20. Ti piace vivere in campagna o in una grande città?

6. Ciò che non piace

Domanda a un amico o a un'amica:

1. Perché non ti piace alzarti presto la mattina?
2. Perché non ti piace andare in bicicletta?
3. Perché non ti piace fare la dieta?
4. Perché non ti piace dormire in albergo?
5. Perché non ti piace frequentare luoghi notturni?
6. Perché non ti piace andare all'opera?
7. Perché non ti piace andare a pesca?
8. Perché non ti piace giocare al tennis? Al calcio?
9. Perché non ti piace perdere tempo?
10. Perché non ti piace parlare di politica?
11. Perché non ti piace parlare del più e del meno?

12. Perché non ti piacerebbe guidare in città?
13. Perché non ti piacerebbe rientrare a casa di notte?
14. Perché non ti piace studiare la grammatica?
15. Perché non ti piacciono gli incubi?
16. Perché non ti piace uscire quando piove? Quando nevica?
17. Perché non ti piace andare al mercato all'aperto?
18. Perché non ti piace leggere la cronaca nera?
19. Perché non ti piacerebbe fare il meccanico? L'impiegato di banca? Il medico? L'avvocato? Il professore?
20. Perché non ti piacerebbe essere ricco? Povero?

7. Parole e pensieri

Quali parole o termini ti saltano in mente per ognuna delle domande negli esercizi 5 e 6.

Esempio:
Numero 1 = rimanere in casa la domenica

I sette giorni della settimana

La rimanenza, i rimanenti

mettere su casa, casa madre, sentirsi a casa, star di casa, casalingo(a), casamento

Numero 4 = dormire in albergo
dormire tra due guanciali, dormire ad occhi aperti

fare una bella dormita, dormicchiare

Il dormitorio

Il dormiente (La bella dormiente)

albergare, albergatore, albergo diurno, albergo per la gioventù

8. Locuzioni

Scegli una locuzione dall'esercizio 5 e una dall'esercizio 6 e, aggiungendo **perché** e **ma**, combinali in modo che ne risulti un'unica locuzione.

Esempio:
Mi piace rimanere in casa la domenica **perché** mi riposo, **ma** non mi piace parlare del più e del meno con la famiglia.

9. Strutture da amplificare

Completa le segueni strutture aggiungendo una locuzione originale.

Esempio:
Se fossi ricco, andrei a ___ per un anno e fare ___ .
Se fossi ricco, andrei a *Venezia* per un anno e fare *la vita di un gran signore*.

1. Se fossi ___ di calcio, andrei ___ tutti ___ mondiali.

2. Se avessi ___ , mi piacerebbe ___ più spesso.

3. Se tu avessi ___ di scalare ___ , io ti accompagnerei.

4. Se Giovanni fosse ___ , riuscirebbe bene agli ___ alla fine dell'ano scolastico.

10. Finisci la storia a modo tuo.

Ti trovi in una casa disabitata. Avanza la notte. La luce fioca di una candela illumina un macabro spettacolo. Le finestre sono chiuse, le tende abbassate. Su una tavola, sotto un lenzuolo si intravede un cadavere...

11. Rifletti sulla seguente situazione; poi rispondi alle domande.

Immagina di trovarti a Firenze e di prendere l'autobus per Arezzo. Vai in giro per la citta è d'un tratto ti accorgi di non avere più il passaporto.

1. Telefoneresti all'Ambasciata americana?

2. Ti presenteresti dai carabinieri in questura? Cosa diresti?

3. Andresti al capolinea per chiedere se l'avessero trovato?

4. Telefoneresti a casa per chiedere aiuto ai tuoi genitori?

5. Che altro potresti fare?

12. Risponde alle domande.

1. Come te le immagini tu le cascate Niagara (affascinanti, romantiche, incantevoli, pericolose, ecc.)?

2. Ti piacerebbe viaggiare in lungo e in largo per vederle?

3. Quando chiudi gli occhi, hai una percezione chiara delle scene che ti piacerebbe vedere? Spiega.

4. Ti piacerebbe spostarti nel tempo e nello spazio con l'immaginazione? Spiega.

13. Esprimi il tuo parere.

Le nuove generazioni rifiutano le vecchie ideologie e i pregiudizi.

14. Rispondi alle domande

1. È l'ora del tramonto. Il mare, le colline, il cielo si accendono d'oro. Quali senzazioni provi?

2. Il cliente ha sempre ragione. Sei d'accordo? Spiega.

3. Cosa si deve fare per far crescere la voglia d'imparare?

4. Che ricordi hai tu di tuo nonno? Di tua nonna?

5. Quali qualità ti piacciono in un giovane? In una giovane?

6. Cosa apprezzi di più negli amici o nelle amiche?

7. Quali cose ti hanno fatto più piacere?

8. Come passi le serate?

9. Esprimi il tuo parere su questo proverbio: **"Guarda ciò che sono e non da chi sono nato."**

10. Hai svuotato l'armadio (o il cassettone) ed è venuto fuori un bel (o un brutto) ricordo. Racconta.

TEMI DI CONVERSAZIONE

■ ■ ■ ■ ■ ■ ■ ■ ■ ■ ■ ■ ■ ■ ■ ■ ■ ■ ■

Qui elencati si trovano 50 testate apparse in vari giornali. Scegliene una e commentala, con l'aiuto della tua immaginazione.

1. L'ITALIA CONQUISTA UN'ALTRA MEDAGLIA D'ORO

2. DUE FINANZIERI ARRESTATI PER CONCUSSIONE

3. TERZO ATTENTATO ALLA VILLA DEL MARCHESE

4. LA POLIZIA APRE L'INCHIESTA SULL'ATTENTATO

5. SERIE DI VIOLENZE COMPIUTE DALLA MALAVITA

6. IN GARA I MIGLIORI STADISTI DEL MONDO

7. VOLEVANO RAPIRE IL NIPOTE DI UN INDUSTRIALE VINICOLO

8. RIPRENDE GLI ALLENAMENTI IN APRILE

9. IL MALTEMPO INFURIATO IN CALABRIA

10. IMPORTANTI PROGRESSI NELLE INDAGINI SUL RAPIMENTO DEL GIOCATORE DI CALCIO

11. TROVATA L'AUTO USATA DAI RAPINATORI

24. NEBBIA IN TUTTA LA LOMBARDIA

25. IMPAZZITA HA UCCISO LA MADRE A COLTELLATE

26. RAGAZZA E TASSISTA FERITI A COLPI DI PISTOLA

27. ARRESTATO IL MECCANICO CHE UCCISE LA SUOCERA

28. DOMANI «INVERNALI» DI CICLISMO SU PISTA

29. SEMPRE PIÙ «GIALLA» LA MORTE DELLO SCIENZIATO

30. I TRENI SI FERMANO DALLE 9 ALLE 13

31. FELICE PER IL FILM SUL SESSO

32. REGISTI STATIUNITESI VINCONO TUTTI I PREMI DEL FESTIVAL DEL FILM FANTASCIENZA

33. BALLO IN MASCHERA

34. CORRIDORE PROFESSIONISTA INTERROMPE ALLENAMENTI PER SOSPETTO ERNIA

35. VINCE LA DISCESA LIBERA DEL CAMPIONATO DI SCI ALPINO

36. È COSTATA 480.000.000 LA LIBERTÀ DEL BAMBINO TORINESE

37. DEPUTATO REGIONALE IMPUTATO PER TRUFFA

38. ASSO SVIZZERO VINCE LA DISCESA LIBERA PER LA COPPA DI SCI

39. TURNO ELIMINATORIO DI CALCIO

40. LA FERRARI MERITA IL PREMIO DELL'AUTOMONDIALE

41. I VIGILI DEL FUOCO PROTESTANO

42. DOMANI DALLE 17 ALLE 19 SI FERMANO GLI AUTOBUS

43. ATTEGGIAMENTO INTRANSIGENTE DELL'AZIENDA

44. SI SFRACELLA PRECIPITANDO DAL TETTO DEL RIFORMATORIO

45. VISIBILITÀ RIDOTTA SULLE STRADE

46. VIVO INTERESSE AL PROBLEMA DELL'AMBIENTE

47. L'INFLAZIONE È SERIA IN TUTTO IL MONDO

48. CHI DORME NON PIGLIA SOLDI

49. CELEBRAZIONE DEL SOGNO (O DEL MITO) AMERICANO

50. I GRAFFITI: ATTI DI VANDALISMO O SEGNI IRRIVERENTI DI UN'ARTE DI STRADA DA RIFIUTARE?

L'autore ringrazia le seguenti case editrici per aver concesso la riproduzione di questi articoli e foto.

Copertina: «Roma, Piazza Esedra», P. Van de Pol

p 1; «L'Espresso», 20 agosto 1989

p 3; «Oggi», 5 luglio 1989

p 4; «Oggi», 5 luglio 1989

p 5; «Oggi», 4 dicembre 1989

p 8; «La Repubblica», 2 agosto 1989

p 12; «Oggi», 5 luglio 1989

p 14; «Il Messaggero», 6 agosto 1989

p 15; «Il Messaggero», 31 luglio 1989

p 17; «Oggi», 5 luglio 1989

p 19; «Corriere della Sera», 12 luglio 1989

pp 20–21; «Il Messaggero», 28 luglio 1989

p 22; Domenick Capobianco

p 23; «Il Messaggero», 9 agosto 1989

p 25; «Il Messaggero», 29 luglio 1989

pp 26–28; «Il Messaggero 'Sport'», 7 agosto 1989

p 30; «Corriere dei Piccoli», supplemento illustrato del «Corriere della Sera», 4 maggio 1958

p 31; «Il Messaggero»

p 32; EF Scuola Europea di Vacanze

p 33; «Zaino» (supplemento al numero odierno del «Corriere della Sera»), Ente Regionale per il diritto allo studio universitario di Urbino [E.R.S.U.]

p 35; «Per Lui», marzo 1989

p 36; *Ritorno alla base*, Giovannino Guareschi, Permesso concesso da Alberto e Carlotta Guareschi, 6 marzo 1990.

pp 37–38; «Il Messaggero», 6 agosto 1989

pp 39–44; *Le Sue Giornate, Racconti Romani*, Alberto Moravia (Casa Editrice Bompiani, Milano, 1967)

p 45; «Corriere della Sera», 12 luglio 1989

pp 45–46; *Volevo i pantaloni*, Lara Cardella (Arnoldo Mondadori Editore S.p.A., Milano, 1989)

p 47; *Le italiane si confessano*, a cura di Daniela Parca (Parenti Editore, Firenze, 1959)

p 48; Caffè «Hag»

p 49; *Il Folklore*, Paolo Toschi (Editrice Studium, 1969)

p 50; «Corriere della Sera Supplemento», 15 luglio 1989

p 56; «Gemignani», Elle di C Editrice

p 57; «Oggi», 5 luglio 1989

p 59; «Il Messaggero», 28 luglio 1989

pp 60–61; «Il Messaggero», 3 agosto 1989

p 64; Azienda di Soggiorno e Turismo

pp 66–67; «Corriere della Sera», 12 luglio 1989

pp 73–74; «Charme», 11 aprile 1986

pp 76–78; «Il Messaggero»

The Walt Disney Company Italia. ©Disney. Per gentile concessione della The Walt Disney Company Italia S.p.A.

p 80; *Corriere dei Piccoli*, «Corriere della Sera», 25 ottobre 1959

p 81; *Festival della canzone italiana* (Edizioni Sonofilm, Milano, 1953)

p 82; «Europeo», 7 aprile 1989

p 84; «Corriere della Sera»

pp 85–87; «Il Messaggero», 3 agosto 1989

p 88; «Oggi»

p 89; Rizzoli Periodici «Sette», 14 aprile 1990

p 91; «Il Messaggero», 3 agosto 1989

p 93; Cheli Diamant

p 94; Lyric Opera of Chicago,

p 96; «Il Messaggero», 23 luglio 1989

p 97; «Il Messaggero», 15 luglio 1989

p 99; «La Repubblica», 2 agosto 1989

Biglietto d'ingresso: Ministero per i beni culturali e ambientali

pp 101–102; «La Domenica del Corriere»

p 104; «Il Messaggero», 4 agosto 1989

NTC ITALIAN TEXTS AND MATERIALS

Computer Software
Italian Basic Vocabulary Builder on
  Computer

Language Learning Material
NTC Language Learning Flash Cards
NTC Language Posters
NTC Language Puppets
Language Visuals

Exploratory Language Books
Let's Learn Italian Picture Dictionary
Let's Learn Italian Coloring Book
Getting Started in Italian
Just Enough Italian
Multilingual Phrase Book
Italian for Beginners

Conversation Book
Basic Italian Conversation

Text and Audiocassette Learning Packages
Just Listen 'n Learn Italian
Conversational Italian in 7 Days
Practice & Improve Your Italian
Practice & Improve Your Italian PLUS
How to Pronounce Italian Correctly
Lo dica in italiano

Italian Life and Culture
Il giro d'Italia Series
  Roma
  Venezia
  Firenze
  Il Sud e le isole
  Dal Veneto all'Emilia-Romagna
  Dalla Val d'Aosta alla Liguria
Vita italiana
A tu per tu
Nuove letture di cultura italiana
Lettere dall'Italia
Incontri culturali

Contemporary Culture—in English
Italian Sign Language
Life in an Italian Town
Italy: Its People and Culture
Getting to Know Italy
Let's Learn about Italy
Il Natale
Christmas in Italy

Songbook
Songs for the Italian Class

Puzzles
Easy Italian Crossword Puzzles

Graded Readers
Dialoghi simpatici
Raccontini simpatici
Racconti simpatici
Beginner's Italian Reader

Workbooks
Sì scrive così
Scriviamo, scriviamo

High-Interest Readers
Dieci uomini e donne illustri
Cinque belle fiabe italiane
Il mistero dell'oasi addormentata
Il milione di Marco Polo

Literary Adaptations
L'Italia racconta
Le avventure di Pinocchio

Contemporary Literature
Voci d'Italia Series
  Italia in prospettiva
  Immagini d'Italia
  Italia allo specchio

Duplicating Masters
Italian Crossword Puzzles
Basic Vocabulary Builder
Practical Vocabulary Builder
The Newspaper

Transparencies
Everyday Situations in Italian

Grammar Handbook
Italian Verbs and Essentials of Grammar

Dictionary
Zanichelli New College Italian and English Dictionary

For further information or a current catalog, write:
National Textbook Company
a division of *NTC Publishing Group*
4255 West Touhy Avenue
Lincolnwood, Illinois 60646-1975 U.S.A.